科学と詩の架橋
Reflections on Science and Poetry

大嶋 仁
Oshima Hitoshi

石風社

装丁・カバー写真　毛利一枝

科学と詩の架橋

目次

第一章　シモーヌ・ヴェイユにおける代数と詩

第二章　レヴィ＝ストロースにおける新しい科学

第三章　寺田寅彦における俳諧と物理学

第四章　岡潔における数学と詩

科学と詩の架橋

第一章　シモーヌ・ヴェイユにおける代数と詩

宗教思想家として知られるシモーヌ・ヴェイユ（Simone Weil 1909-43）を一言で言い表すことは難しいが、ここでは「代数」に対して「詩」を守ろうとした人と定義する。彼女はつねに人間における「詩」を擁護しようとした人であり、「代数」はその難敵であった。彼女の兄であり、著名な数学者でもあったアンドレ・ヴェイユ（André Weil 1906-98）と区別するためもあって、ここでは彼女をシモーヌとだけ呼ぶことが多いことを断っておく。

一　詩と代数

シモーヌ・ヴェイユが「詩」を守ろうとしたきっかけは、リセの哲学教師であったときに自動車工場の工員となって労働者生活を体験したことにある。機械のようになって働く労働者の不幸は、彼らの生に「詩」が欠けていることにあると直覚したのである。「奴隷とならずに働くには何が必要か」（Condition première d'un travail non servile 1941）という文章の中で、彼女はこう言う。

人々にはパンと同じように詩が必要です。言葉に包まれた詩ではなくて（そんなものは彼らにとって何の役にも立たない）、彼らの毎日の糧が詩でなくてはならないのです。[1]

この引用からわかるように、彼女の言わんとする「詩」は文学の一形式ではなく、生活そのものである。人はパンのみで生きるのではない、詩を食べて生きねばならない。そう彼女は悟り、この考え方を死ぬまで持ちつづけた。

彼女のいう「詩」は生活に意味、あるいは価値を与えるものである。これを「創造力」と言い換えてもいいだろう。なぜなら、「詩」（poésie）とは彼女の親しんでいたギリシャ語のポイエーシスであり、ポイエーシスとは「制作」「創造」を意味するからだ。毎日のひとつひとつの行為が創造性に満ちる、このとき人は幸福になれる。生活が「詩」となるとき、人は幸福になると見たのである。

そういう彼女が「詩」の対極に見ていたのが「代数」である。彼女の死後発見されたメモの寄せ集め『重力と恩寵』（La pesanteur et la grâce 1947）には、以下のような言葉が見つかる。

1　Simone Weil: La condition ouvrière, Gallimard, 1951, en version numérique, Chicoutimi, Université du Québec à Chicoutimi, 2005, p.219

お金、機械主義、代数。この三つが私たちの文明の怪物です。この三つには完全な相似が見られる。[2]

彼女の思想のおおよそを知る者は、彼女がいう「お金」とは資本主義を指し、「機械主義」が技術主義を指していると見る。だが、それなら「代数」とは何を意味するのか？ また、「お金」と「機械主義」と「代数」を彼女は現代文明の「怪物」であり、それらのあいだには「完全な相似」があるというが、これはどういうことか？

のちに詳しく見るが、彼女にとって「代数」(algèbre) とは計算であり、形式主義であり、現実離れした思考であり、効率主義のことであり、便利さを追求する惰弱な精神を意味した。しかも、この言葉は決して隠喩として用いられているのではなく、文字通り数学における一分野としての「代数」であった。彼女の科学論は、「代数」の導入によって近代科学が人間から離れてしまったことへの批判といってよい。そうした科学に基礎を置く現代文明は人類を誤った方向に導いている、と見たのである。

このような彼女の考え方は代数に慣れきった私たちには一風変わって見えるが、まさにそこに彼女の真骨頂があった。数学の一分野、否、道具であったはずの代数が、人間の思考の基礎になってしまった、これは大変恐ろしいことだと言いたかったのだ。では、上の引用に出てきた「完全な相似」とはどういう意味か。彼女が科学の基礎と考えていた幾何学と結びつけてこの言葉を理解せねばならないだろう。つまり、「お金」も「機械主義」も「代数」も同じ思考構造が生み出したもので、座標変換をすれば重なり合うという意味である。

彼女のこのような見方は彼女の兄アンドレが数学者であったことと無関係とは思われない。のちに見るように、シモーヌとアンドレには思想的に「相似」的な面があった。もっとも、彼女がその哲学的訓練の過程でデカルトやパスカルといった数学者の思考と出会っていたことも大きい。デカルトについては徹底的な批判を展開した彼女であるが、科学者にして宗教家だったパスカルについてはどうだったか。自分と精神的に近い存在と思っていたかも知れない。

彼女が資本主義と機械主義と代数を同じ構造の異なった現れと見、そこに近代の病弊を見たことは確認した。にしても、「代数」をそこまで嫌ったのはどうしてか？　これものちに詳しく見るが、代数には何ら可視的な現実が関わってこないことが最大の問題点だと彼女は見ていた。彼女にとって、数学という抽象的な学問でさえ可視的な現実と関わっていなくてはならなかったのだ。たとえば古代ギリシャの幾何学は、その点で彼女の理想にかなっていた。

最初に述べたように、彼女は工場労働者には「詩」が欠けていると見た。これを言い換えれば、彼女は彼らに「代数」への隷属を見たのである。もっと正確に言えば、代数的システムへの隷属である。近代文明とは「代数」の支配する時代、「代数」が人類から「詩」を奪った時代、そのよ

2　Simone Weil : La pesanteur et la grâce, Plon, 1988, p.173

うに彼女は見た。現代風に言えば、デジタルがアナログを封じ込めた時代の特徴、これを彼女は「詩」の喪失と表現したのだ。

そう言われてもピンと来ない人もあろうが、代数の特徴は具体的な数値を扱わず抽象的な記号を用いて等式を駆使するところにある。$1+1=2$のかわりに$x+y=z$と置き、$(a+b)^2=a^2+2ab+b^2$といった万能式を作るのである。これに具体的な数を代入すれば、すぐさま答えが出る。そこには私たちの感性が捉える具体的な世界はなく、私たちの生と直結するものがないのだ。だからこそスムーズに答えが出るのだが、それをシモーヌは危険視したのである。

多くの人は代数ほど便利なものはないというだろう。ひとたび公式を覚えれば、どんな計算でも短時間で答えを出せるのだから。今では人間の代わりに機械でそれができる。コンピュータはそういう機械であり、人工頭脳は最も優秀なコンピュータなのである。では、シモーヌの反＝代数は時代遅れの思想なのか。それとも今だからこそ、その価値が正当に評価されねばならないのか。この疑問を念頭に、以下彼女の思想を整理してみたい。シモーヌ・ヴェイユといえばキリスト教思想家と位置づける習わしがあるが、そんなに単純なものとは思えない。この稀有の人物の今日的意味は、彼女の科学論、数学論を見なくてはわからないというのが本稿の筆者の立場である。

二　マルクス

シモーヌ・ヴェイユという名が世に知られるようになったのは、彼女の友人ギュスターヴ・ティボンが彼女の書き残したメモを見つけてからのことだ。彼はそれらを整理し、一九四七年すなわち彼女の死後四年たってから『重力と恩寵』(La pesanteur et la grâce) と題する書物として世に出した。それが瞬く間にフランス国内でベストセラーとなり、その後英訳が出るなどして世界中で読まれるようになった。日本でも一九五八年以降彼女の著作がつぎつぎに翻訳出版されており、六八年には『著作集』(春秋社) が出たし、その半世紀後の二〇一二年には『選集』も出ている (みすず書房)。

この突然の現象は、生前ほとんど誰も知らなかった彼女の遺した言葉が、第二次大戦後精神的支えを失った人々にある種の光明をもたらしたことを示している。哲学的考察と鋭い文明批判、深い内省に満ちた神秘的なヴィジョン、そうしたものが詩的な言語の中にこめられており、翻訳を通じてでもそれが伝わってくるのだからたいへんなものだ。文学史上、否、出版史上、稀なことと言ってよい。

フランスでは一九八八年に『全集』(ガリマール社) が出ているが、彼女を読む人は世界中におり、今でも一定数の愛読者を得ている。その思想を研究しようとする人、評伝を書こうとする人は後を絶たない。

彼女の書いたものの中で最もよく読まれているのは前出の『重力と恩寵』である。「重力」が物理学の用語であるのに対し、「恩寵」が宗教の用語であるこのタイトルの含みもつ二項対立、これが彼女の世界を形作っていたと言ってよい。彼女を現代社会における稀な宗教者と見る人が多いが、彼女が科学文明を常に意識していたことを見落としてはならない。

また、彼女には社会運動家、政治活動家という側面もあったし、科学哲学者という一面もあった。それらが彼女の宗教性とどう関わっていたのか、この問題が十分検討されているとは思えない。本稿はささやかながらその点での貢献を目指す。彼女の科学哲学者としての側面に光を当て、シモーヌ・ヴェイユとはどういう思想家だったのか、今一度考えてみたいのである。

ヴェイユは科学哲学者であったと述べたが、科学こそは彼女の哲学の中核をなすものであった。彼女が哲学の課題としたのはもっぱら科学であり、リセの哲学の授業で教えたのも科学史および科学思想であった。そういう彼女にとって、科学の発達と労働問題とは表裏一体だった。彼女がその死に至るまで戦い続けた全体主義もまた、彼女には近代科学の生み出した政治システムと見えたのである。

近代科学の発展は「代数」の導入に因るというのが彼女の一貫したテーゼである。その結果、人類は「詩」を失ったというのが彼女の結論である。科学はもっと別の仕方で発展できたはずなのに、「代数」を採用して能率化を図ったためにとうとう「詩」を殺してしまった、そう見たのである。

代数を全面的に信頼するような科学は本来の科学ではない。イスラム文明が生んだ代数は幾何学を土台とするギリシャ数学にとって替わり、それが近代科学の主役となってしまったがゆえに、感覚によって捉えられる具体世界が見失われてしまった。これが彼女の科学論の骨子である。その結果、科学は飛躍的発展を遂げたかもしれないが、私たちの現実から懸け離れたものになってしまった。私たちの手から生まれたはずなのに、手の届かぬものになったというのだ。そういう科学が求める真理はもはや私たちの生とは関係がない。果たしてそれを「真理」と呼べるのか、そう彼女は問いつづけたのである。

これを言い換えれば、彼女は科学にその本来の出発点である哲学をつづけてほしかったということだ。科学は哲学でなければならなかったのである。なるほどそう言われてみれば、ニュートンにしても、デカルトにしても、近代科学の出発点にあった人々は科学と哲学を区別していなかった。彼らの時代には「科学」(scientia)という言葉は使われず「哲学」(philosophia)という言葉しかなく、彼らにとって自分たちの研究は「哲学」にほかならなかったのである。

前にも述べたように、代数導入とはデジタル化のことである。すべてを数値化し、現実を数値に還元するこの方式を彼女は諸悪の根源と見た。この数値化が経済活動におよぶと労働は数量に換算され、その数量が金銭に換算される。このようなシステムは人間の生を「根こそぎ」にする、そう見たのである。

そういう彼女にマルクスの影を見ることは不可能ではない。あらゆる労働が機械化され、労働が数値に換算されてしまうということは、速度と量だけが問題になる。人間より機械のほうが効率がいいから、生産に必要な人間の労働は機械的であるべきだということになる。そうなれば、生そのものが否定されていくことになる。そのように見た彼女の発想は、たしかにマルクス的である。

もっとも、マルクスが資本主義社会における労働を「疎外」という言葉で表現したのに対し、彼女はこれを「詩」の圧殺と表現した。そこが彼女とマルクスの違いである。マルクスには「詩」とか「詩の欠如」といった発想はなかったか、あったにしても非常に見えにくい。資本主義がそれによって自らを肥大化させる一方で、とんでもない不平等を生み出していることを認めた点で二人は同じだが、この不平等が経済的なものではなく精神的なものだと捉えたのはヴェイユであって、マルクスではないのだ。本来精神のはたらきは万人に平等に与えられているはずなのに、一部の人しかそれをはたらかせることが出来ない。この不平等を彼女は糾弾した。そして、その元凶を「代数」、すなわちデジタル化に見たのである。

繰り返すが、彼女にはマルクスと共通の視座があった。彼女はマルクス同様、労働者の疎外が資本主義のシステムに由来すると見ていた。しかし、彼女はそれを科学文明が代数を基礎に発展したことと結びつけ、近代科学批判を展開した。それゆえ、マルクスの問題解決の仕方を批判することにもなったのである。すなわち、彼女は「プロレタリア革命」なるものに疑問を抱いた。そうした革命によっては「失われた詩」を回復することはできない、そう彼女は見た。「革命」は労働者たちに経済的状況の改善と政治的権利をもたらすかも知れないが、「詩」を蘇らせることはできない、そう見たのである。以下の『重力と恩寵』の言葉が、それを示す。

労働者たちはパンよりも詩が必要だ。彼らの生が詩となること、そこに永遠の光が灯ることを必要としているのだ。そのような詩は、宗教によってのみ与えられるだろう。宗教は決して人々にとってのアヘンではない、むしろ革命のほうこそ、アヘンとなっているのである。労働者たちが生きる希望を失っているのは、彼らが貧困だからではない、詩を奪われているからなのだ。[3]

「宗教は決して人々にとってのアヘンではない、むしろ革命のほうこそ」という表現は、言うまでもなくマルクスの「宗教はアヘンである」をひっくり返したものである。一時的には共感したかもしれないマルクスとの決別が、ここにはっきり表明されている。

マルクス思想との決別は、彼女が自動車工場での労働体験を通じて労働者たちにプロレタリア革命の幻想が流布しているのを見たからであろうか。イデオロギーが政治運動を迷走させることを、スペイン内戦に参加した経験からも彼女は知っていたはずだ。スターリンのソビエト＝ロシアを見るにつけ、プロレタリア革命が仮に成就したとしても、それによって引き起こされる人々への抑圧が、資本主義がもたらす抑圧以上にひどいものだと彼女は感じていたのである。

3　同書 p.204

面白いことに、彼女は一九三三年パリを訪れたレオン・トロツキーと面談し、そのことを直接彼に伝えている。無論、「永久革命」を唱えるこのロシアのマルキシストが彼女の提言を受け入れるはずもなかったが、彼女の思想の実践的性格を示す逸話ではある。

繰り返すが、彼女の労働に関する思想が「詩」と直接結びついていたところが彼女とマルクスの決定的な違いであり、そこに彼女の思想の独自性がある。彼女にとって、労働は精神的な価値を持つものであり、単に肉体的なものでも経済活動でもなかったのだ。労働者は「彼らの生が詩となること、そこに永遠の光が灯ることを必要としている」。この言葉には、労働＝詩＝永遠の光（すなわち宗教）という等式が込められている。労働は詩的活動であることによって聖化される、なぜならそのとき人は労働をつうじて神の創造行為に参与することができるから。これが彼女の労働観だった。

似たような労働観は、ハンナ・マレイが指摘しているように、ルネッサンス期スペインの神秘思想家である「アヴィラのテレサ」(Teresa de Ávila) にも見られる。[4] シモーヌがカトリック教会の聖人となったこの人物の書いたものを読んだ形跡は見つからないが、両者の間にまぎれもない精神的近似が見られることは確かである。シモーヌの生まれた国も、テレサの生まれた国も、いずれもカトリック国であり、二人はそういう国にユダヤ人として生まれ、カトリック教とユダヤ思想のはざまに生きたのである。

そう考えると、シモーヌがテレサを読んでいたなら自身の複雑なアイデンティティーをより鮮明に自覚できたのではないかと惜しまれてもくる。ロバート・コウルズが指摘したように、シモーヌが自身のユダヤ人としての出自を否定的にしか扱わなかったのは、第三者から見れば不幸である。[5]しかし、当人にすれば、そんなことに思いを煩わすべきではなかったにちがいない。なるほど、彼女にとって重要だったのは彼女のアイデンティティーではなかった。自分ひとりでなく、近代という時代において万人が置かれている「根こそぎ」状態こそが問題だったのだ。「根こそぎ」とは生存の「根」を失うことであり、「詩」を失うことであった。それを回復し、それを確保することが彼女にとっての最大事だったのである。

三　思考の自由

シモーヌ・ヴェイユは宗教思想家と見なされがちだが、職業としてはリセの哲学教師であり、アラン（Alain）という著名な哲学教師に育てられたのだから「哲学者」と見られて不当ではない。し

4 Hannah Murray: Poetics of Labor, Simone Weil, St. Teresa and Mysticism, 2016, in Invocations, Bloomington, Indiana University Bloomington, https://invocationsiu.wordpress.com/2016/05/01/poetics-of-labor-simone-weil-st-teresa-and-mysticism/

5 Robert Coles: Simone Weil, a modern pilgrimage, Sky_Light Paths, 2001

かし、同時代の哲学者の多くとは異なり、社会活動、政治活動に身を投じた実践家であったことは無視できない。彼女にとって、哲学とは哲学書を読んで解釈することではなく、自分を取り巻く社会と向き合い、時代の風潮を批判的に吟味することを意味した。

哲学者としての彼女が取り組んだ課題のなかで最も重要だったのは、近代科学はどこが問題なのかということであった。カントやベルクソンを論じるのではなく、プラトンやアリストテレスを論じるのでもなく、彼女は「科学はどうあるべきか」「近代科学はどういう点で科学として問題なのか」を明確にしようとした。なんとなれば、近代科学こそは彼女の時代社会に最も大きな影響を及ぼすものだったからである。

先にも述べたように、彼女が近代科学に見たものは「代数」に頼りすぎることによる過度の抽象性だった。科学が本来の出発点である現実の観察から遊離し、その思考が宙を舞っていると見たのである。いったんそうなれば、もはやその妥当性を吟味することは誰にもできなくなる。そうなれば必ずや人類を不幸に追いやる、そう見たのだ。

代数計算は便利で、思考の手間を省く。そのため、人間の脳は自動機械と化し、その結果、科学は利害追求しかしない企業や国家のしもべとなりやすくなる。アドルノとホルクハイマーはサド侯爵に啓蒙主義の危険を見たが[6]、彼女は科学の発展に同じ危険を見た。哲学において最も重要なことは思考の自由、精神の自律性を守ることだと確信し、思考が機械化されて自律性も自由もなくなっていく状態を、手をこまねいて見ているわけにはいかなかったのだ。

彼女が思考の停止状態を最も恐れたのは、多分に彼女の師アラン（Émile-Auguste Chartier 1868-1951）およびラニョー（Jules Lagneau 1851-94）の影響に因る。たとえばアランはその『宗教論』(Propos sur la religion 1938) において次のように言っている。

> 考えるということは「いいえ」と言うことです。「はい」と答えるのは眠っている人がすることです。目覚めている人は、首を振って「いいえ」というのです。では、何に向かって「いいえ」というのか？　世間に向けて？　暴君に向けて？　説教する神父さんに向けて？　一見そう見えても、実はそうじゃない。どんな場合でも、「いいえ」と言えるのは思考力があるからであり、思考力は自分自身に向かって「いいえ」というのです。[7]

「いいえ」というのは他人の意見に対してではない、自分の意見、自分の信条、自分の思想に対してであるというアランのこの教え。シモーヌはアランという師から思考の永久革命の大切さを学んだと言ってよい。

そのような彼女が工場労働者に見たのはまさにその反対のことだった。機械的労働に隷属することで、自らを機械の一部と化し、一切の思考を停止する様をあからさまに見たのである。彼女はそれを「詩の欠如」と呼び、人間における最大の不幸と感じた。彼女において、「哲学」という永続

6　Theodor Adorno/Max Horkheimer : Dialektik der Aufklarung, Social Studies Association,1944
7　Alain : Propos sur la religion, Presse Universitaire de France, 1969, p.170

的思考活動と「詩」とは、つまるところ同じ一つのものだったのである。

そういう彼女が「代数」を目の敵にしたのは、「代数」が思考することを省く便利な手立てだったからであるが、そればかりか、すべてを代数で解決しようという姿勢が時代社会に浸透していくのを見たからである。代数ではひとたび公式が出来上がれば、これにどんな数を代入しても答えを出せる。その便利さこそが思考にとって命取りとなると見たのだ。代数が支配し、科学を発達させ、「便利さ」が社会に浸透する。これこそは全人類を思考停止に導く、と見たのである。

一九四二年、ユダヤ人であった彼女の両親は彼女とその兄アンドレを連れてニューヨークに渡った。ナチズムの反ユダヤ主義から逃れるためだった。しかし彼女はヨーロッパが心配で、両親を置いてすぐさまそこからロンドンへと旅立つ。ド・ゴール将軍率いる「自由フランス軍」(La Libre France) に加わるためだった。

この軍隊の目的はフランス国内のレジスタンス運動と連携してナチス＝ドイツと戦い、フランスを解放することにあった。シモーヌがこれに加わったのは祖国フランスを救いたかったからにちがいないが、それ以上に全体主義をなんとしてでも崩壊させたかったからである。全体主義とはなにか。人々の思考停止を力づくで実現するシステムにほかならない。精神を、詩を、機械的に殺すシステム。彼女の戦いはなによりこれに対するものであり、その戦いはフランス人だけのためではなく、全体主義に喘ぐドイツ人のためでもあったのだ。

彼女はナチスがユダヤ人を全滅させようとしていることをある程度知っていたであろう。しかし、彼女の運動がユダヤ人同胞の救済に向かったことはないと見たい。ユダヤ人であろうとなかろうと、人類に与えられた「詩」、思考の自由、これを守らねばならない。「自由フランス軍」に参加した理由はそこにあったと見るほうが、彼女の思想にふさわしい。

先にも述べたが、彼女が「代数」を目の敵にしたことについては、彼女の兄のアンドレ（André Weil 1906-98）が著名な数学者であったことと関係ないわけではない。そこで、アンドレについて少し見ておきたい。

まず、アンドレがシモーヌに負けずと劣らぬ思想の自由の追求者であったことを言っておきたい。彼もまた、同時代の社会のあり方に極めて批判的な側面を持っていたのである。彼の数学は代数幾何と呼ばれるもので、位相数学をひらいたアンリ・ポアンカレーを引き継いでいる。

代数幾何は代数を含むもので、代数ぎらいの妹の発想の根元がそこにあるのではという解釈も生まれ得る。しかし、むしろ逆であろう。兄の数学が代数の行き詰まりを打開し、幾何学という古代ギリシャ以来の数学を復活させようとしたと見るならば、むしろそれはシモーヌの発想と軌を一にするものだったからである。

二人は性格こそ異なっていたが、シモーヌに劣らずアンドレにも革新的な面があった。彼が最初に就職したのがインドの大学であったという事実がそれを示している。フランスのエリートは大抵リセの教員となり、やがて国内の大学あるいは研究所に職を得るのに、彼はあえてインドを選び、その文明の恩恵に浴することを欲した。

なぜインドだったのかといえば、ヒンズー教、その背後にあるインド的宇宙観に惹かれていたからである。彼は十六歳の若さでサンスクリット語を学び、バガバッド・ギータを原文で読んでいた。後年自らの知的遍歴を振り返った際に、自分の精神にピタリときた宗教はバガバッド・ギータしかなかったと述懐している。[8] アンドレのこうした開かれた精神が、シモーヌにおいて別の形で現れたと言ってよいだろう。

数学者としてのアンドレは「ヴェイユ予想」で知られている。「予想」というのは仮説という意味で、これを将来の数学者に証明してもらいたいという設問提示となっている。また彼は、友人のアンリ・カルタン（Henri Cartan）とともに「ブルバキ」（Nicolas Bourbaki 1935-）という匿名数学者集団を設立した。従来の数学のあり方を刷新するための大胆な試みで、彼らが新たな数学教科書を作成したことは数学史家の間ではよく知られている。

本稿の筆者にとって重要なのは、もちろんアンドレの数学者としての業績ではなく、彼の生き様である。彼は彼なりに、妹とは異なった仕方で西欧の近代文明に批判的な生き方をしたのである。彼の数学者としての自由な精神のあり方を示す一例として、彼が西欧の数学者としてほとんど最初に日本の数学者を評価したことを挙げておこう。彼とその盟友カルタンが、事実上岡潔の数学を世界に知らしめたのである。

谷山豊とか志村五郎といった若い数学者をプリンストン大学に招こうとしたのも彼である（谷

山は自殺してそれを果たせず、志村はプリンストンに行き、そこにとどまって名誉教授となった)。また、彼が親友のクロード・レヴィ＝ストロースに頼まれて、オーストラリア先住民の婚姻システムを集合論を用いて表現したことも見落とすべきではない。アンドレの開かれた精神がレヴィ＝ストロースの人類学的発想に呼応したのである。

シモーヌとアンドレはユダヤ人であったが、彼らの両親の意向でユダヤ的伝統から切り離されて育った。シモーヌが最後に書いた文章『根をおろすこと』(L'Enracinement 1943) は近代人が「根から切り離されていること」(déracinement) を扱った論だが、まさに彼女とその兄とは「根から切り離された」存在だったと言える。一般に、根を持たないことは人を不幸にするが、そのことを自覚することで、そこから無限の力を引き出すこともできる。ヴェイユ兄妹の場合、たしかに幼少時から世間に対して違和感を抱いており、人知れず孤独であったかも知れないが (というのも、彼らは外部から見ればユダヤ人であり、同時にユダヤ共同体からも外れていたから)、そうであればこそ、世界をより普遍的な視点から見ることができ、新たな精神的次元をひらくこともできたのだ。

シモーヌは晩年カトリック教へ接近するが、この現象もカトリックの側からのみ見るべきではない。彼女が最後までローマ教会と一線を画したのも、旧来のカトリックの伝統に寄り添えないと感じるものがあったからで、それはとりもなおさず彼女が「根を失った」ユダヤ人だったからだと思

8　André Weil: Souvenirs d'apprentissage, Birkhäuser, 1991

われる。心のどこかで、自分はユダヤ人だと密かに思っていたのだろう。

すでに述べたように、彼女にはスペインの聖女「アヴィラのテレサ」に似た面があり、もし彼女が教会の一員になったならテレサのようにカトリック教の内部改革を行ったにちがいない。彼女とロンドンで「自由フランス」のために戦ったモーリス・シューマン(Maurice Schumann)は、彼自身カトリックに改宗したユダヤ人であったが、その彼もテレサとシモーヌの共通性を指摘している。[9]そして、そうであればこそ、自分たちと同時代のユダヤ人で、晩年カトリック教に傾いた哲学者アンリ・ベルクソン(Henri Bergson 1859-1941)についてシモーヌがほとんど何も言及していないのは不思議だ、と言っているのである。

たしかに、シューマンがいうように、ベルクソンとシモーヌの思想的位置には近いものがある。ベルクソンの最初の著作『意識の直接与件に関する試論』(Essai sur les données immédiates de la conscience 1889)にしても、これは端的に言って近代科学の主流である数値主義への批判であり、その点で代数批判を行ったシモーヌと通じるのである。しかしながら、シューマンの視点を離れて、ユダヤ人でありながらユダヤ共同体の外部にいた彼女の思想的系譜を考えれば、むしろスピノザ(Baruch Spinoza 1632-77))との関係をたどりたくなる。というのも、「アヴィラのテレサ」が神を「フライパンや鍋のあいだ」に見たとするならば、[10]スピノザは自然界の全てに神を見ると明言したからである(『倫理学』一六七七)。キリスト教会から受け入れられず、ユダヤ共同体からも追放されたこの哲学者を、シモーヌはもう少しよく知っておくべきではなかったか。

『スピノザとシモーヌ・ヴェイユ』を書いたゴールドシュラジェによれば、彼女がスピノザを十分理解できなかったのは、スピノザ哲学を合理主義に還元したアランとラニョーの指導のせいである[11]。なるほどと頷きたくもなるが、もしかすると、自分と思想的に親近性のある人物を無意識に遠ざける傾向が彼女にあったのではないか。彼女が時代の知的風潮に反発するあまり、過去にさかのぼって自分の思想的系譜をさぐる余裕がなかったということもあろう。

彼女とスピノザの親近性は神の創造としての世界という見方にある。この創造を彼女は「詩」(poésie）と呼んだのである。この語の使い方はギリシャ語のポイエーシス（poiesis＝創造、制作、生産）に忠実である。これがラテン語に転ずるとnatura、すなわちスピノザのいう「自然」となるのだ。彼のいう「神即自然」は、まさに「神すなわち創造」ということで、これをシモーヌ流にいえば「神即詩」ということになる。

スピノザとシモーヌには大きな違いもある。スピノザにとっての神は自然そのもので、それはシモーヌの用語「重力」（pesanteur）に代表されるものである。その「重力」に抗するものとして彼女は神の「恩寵」（grâce）を考えた。恩寵思想はスピノザにはまったく見られない、あるいはそれ

9　Maurice Schumann : Henri Bergson et Simone Weil, in Revue des Deux Mondes, Novembre 1993, https://www.revuedesdeuxmondes.fr/article-revue/henri-bergson-et-simone-weil/
10　Teresa de Ávila: Fundaciones 5-8, http://www.santateresadejesus.com/wp-content/uploads/Las-Fundaciones.pdf
11　Alain Goldschlager : Simone Weil et Spinoza, Naaman, 1982

について言表することを彼は避けた。

四　近代科学と代数

これまでなんどもシモーヌが代数を目の敵にしていたことを述べたが、どうしてそこまで、という疑問は残る。彼女が「詩」を強調した意味はわかるが、「詩」の対極に「代数」を持ってきたことの意味はもう少し考えてみる必要があろう。

すでに述べたように、代数はイスラム文明の中で生まれた。中世において最も先端的な文明から生まれたのである。古代から数学といえばギリシャのそれだったが、ギリシャ数学がある程度まで数論や解析を発達させたにしても、その基本は幾何学であった。幾何学とは図形の科学であるから、つねに目に見える現実とのつながりを持っている。そのような具象性は代数にはない。代数はもともと抽象的なのだ。

代数は抽象的であればこそ、すなわち抽象的な記号を用いればこそ、異なった数学の分野を一つに結ぶことができる。計算が簡便化されるだけでなく、あらゆる事象を一般化して表現できるのである。だが、他方では、具体的世界が置き去りにされる。そういう代数が十七世紀ヨーロッパの科学で駆使され、それが科学のめざましい発展を可能にした。その結果、科学は人々の日常感覚、常識からかけ離れたものになったのである。このことはよいことだったのか、そうではなかったのか。

多くの科学者はこの問題に無頓着で、便利な代数を使ってなにが悪い、これなくして科学は進歩しない、そう思っているようだ。なるほど、代数という宇宙船に乗れば、思ってもみない遠隔地、月の裏側どころか、宇宙の果てまで行ける。しかし、そういう科学のあり方を本稿の主役であるシモーヌ・ヴェイユは危惧した。彼女の同時代には先にも挙げたベルクソン、アドルノ、ホルクハイマーなど、何人か似たような危惧を抱いた人がいたが、科学の代数導入による抽象化が人類を危機に陥れたと断言してはばからなかったのは彼女だけで、同時代で最も大胆な主張だったのである。

古代ギリシャにおいて数学は学問ではなく、宇宙に内在する秩序であった。それを学ぶのが「数学」と名付けられた学問だった。近代科学の出発点にいたガリレオにしてもこの考え方を受け継いでおり、物理学を自然のなかの数学テクストの解読と見た。その文章「試金者」(Il Assigiatore 1623) において、以下のように言っている。

哲学は「宇宙」という巨大な書物に書き込まれているのです。その書物は私たちの眼前に立って、いつでも読めるように開かれている。ところが、その内容を理解するには数学が必要なのです。なんとなれば、その書物は数学という言語で、数学の記号で書かれているからです。それらの記号は、たとえば円であったり、三角形であったりするわけで、数学がわからなければさっぱり意味がわからないのです。数学を知らずに宇宙を見ても、暗い迷路で迷い続けるだけでしょう。[12]

宇宙あるいは自然が書物であり、その言語は数学であり、その言語を構成する記号は幾何学図形であるというのだから、ガリレオのいう数学が事実上幾何学であったことは確かである。こうした見方は当時のヨーロッパの科学者たちにとっては常識だったようで、ガリレオより一世代あとのパスカル（Blaise Pascal 1623-62）も数学といえば幾何学のことだと思っていたことが、『パンセ』（Les pensées 1670)）を読めばわかる。彼はその冒頭で「繊細な精神」（l'esprit de finesse）と「幾何学的精神」（l'esprit de géométrie）という言葉を使って、詩的精神と論理的精神を区別しているのである。

状況が変わったのは、デカルト（René Descartes 1596-1650）が出現して、幾何学と代数の総合を達成してからである。デカルト自身は幾何学的思考を主軸にしていたにもかかわらず、彼の切りひらいた道は、物理学者たちにすべてを数式化するという新たな方法を示したのだ。十八世紀、十九世紀の科学は自然の数式化に邁進し、その結果、一部の物理学者たちは自分たちが自然界の真理を探究しているのか、事象を表現するための数式の論理的一貫性を追究しているのか、判断できなくなったのである。

現代の物理学者ワインバーグの以下の言と、先に引用したガリレオの言とを比較してみよう。

科学とは、広範囲の現象を説明することのできる、数学的に定式化され、実験的に証明された非個人的な原理を探究することである。[13]

この説明を多くの読者はそのとおりだと承認するかも知れない。だが、ガリレオのように数学を自然界に内在するものと見ている人には承服しがたいものだろう。ワインバーグによれば、科学者は数学と実験を手段として自然界の事象を説明する原理を求めるのであるが、その原理が自然に内在しているのか、人間が構築するものなのか、そこは問うていないのである。

このような現代的な考え方の起源は、数学が人間の創造物であるという考え方が定着した一八世紀西欧にあるようだ。そこから人間が自然を超越する存在だという見方が生まれ、その見方が一般人にまで広がったのである。ガリレオやニュートンの十七世紀、数学は自然界に内蔵されているものであり、彼らは自然を造化として崇め、数学をも神の言葉と感じとっていた。しかし、十八世紀以降の科学者たちはそういう考え方を捨て、数学は人間が生み出した知的財産であり、それを用いてどのような自然現象も記述できると思うようになったのである。

さて、その数学のうちの代数であるが、先述したようにその特徴は具体的数字を抽象的な記号で置き換えることで成り立つ。これによって、具体的次元から抽象的一般的次元への移行が可能とな

12　Galileo Galilei: The Assayer, in Discoveries and Opinions of Galileo, edition Text Only, 1957, p.237-238
13　Steven Weinberg: To Explain the World, the Discovery of Modern Science, Penguin, 2016, p.xii

るのだ。代数式はさまざまな具体的事例に共通する一般性を示すものであり、それゆえ抽象的かつ普遍的なものとなるのである。

もちろん、抽象化は私たちが小学校で習う算数にもすでにある。三個のミカンともう三個のミカンを合計すると何個になるかという問題は、算数でも3＋3＝6というふうにミカンという具体的なものを抜きにして数字だけで処理する。このときの3はミカンでなくてもよいわけで、数えられるすべての事物に当てはまる。したがって、算数でも一般化・抽象化は行われているのだ。

しかしながら、算数と代数には決定的な違いがある。3＋3＝6は算数で得られる抽象式だが、それでもそこには数字が残っている。ところが代数になると、その数字さえも残らず、たとえば a+b=b+a というふうになるのだ。ここで問題になるのはもはや具体的な数量ではなく、数式そのものの一般的性質である。代数は数値すら問題にせず、そこでの抽象化は算数とは比較にならない。

代数が科学に導入されると、科学はさまざまなプロセスにおける計算の答えを、速く、かつ正確に出すことができるようになる。これはすごいことには違いないが、科学がその出発点である現実から離脱してしまうというシモーヌ・ヴェイユが抱いた危惧は、やはりまっとうなのである。そんな危惧は素朴すぎると見えるかも知れないが、これを「非科学的」と片づけるのは早急に過ぎ、それこそ「非科学的」な態度となってしまうであろう。

以下に引用するのは、数学史家の高瀬正仁の代数についての見解である。代数がいかに便利で、いかに意味と価値を剥奪するものであるかを端的に表している。

抽象化された数学を学んで受ける印象は、舗装された道路をバスで山頂に登る感じに似ている。（…）バスに乗って山頂に向かうのも山登りは山登りだが、この山登りには抽象性が感じられる。その抽象の感覚はどこから来るのかといえば、山登りの様式が誰に取っても同じという、様式の普遍性に由来するのではないかと思う（…）。この感覚は今日の数学を学ぶ際に体験する感覚と似通っている。代数のテキストを読んでガロアの理論を勉強するという場合、テキストに書かれている通りに歩いていけば最後に基本定理に到達する。別に難しいことはなく、簡単な論理が重ねられているだけであるからすらすらと進んでいく。（…）愉快な気分が味わえて不快ではないが、深遠な感銘を受けるというのとははっきりと異なっている。（…）なぜなら、この種の体験は「自分だけの体験」ではないからである。[14]

代数式は意味の剥奪された記号によって成り立つもので、正確な答えを迅速に出す方法として抜群に有用であることは確かだが、それが普遍性を持てば持つほど抽象的になり、それゆえ、高瀬が言うように、数学をすることで得られる「発見の喜び」はなくなってしまうのである。山登りはバスではなく、自分の身体を使って手と足で登るにかぎる、ということだ。

高瀬が数学的体験にも「自分だけの体験」が必要だと言っている点は注視したい。というのも、

14　高瀬正仁『近代数学史の成立　解析篇』（東京図書、二〇一四）〇〇二−〇一一頁

先に引用したワインバーグの科学の定義では科学的真理の「非個人的」(impersonal) な点が強調されているからである。もし科学が「非個人性」を目指すなら、「発見の喜び」はなくなる。シモーヌ・ヴェイユはその点には触れていないが、高瀬の代数観を知ったら同意したに違いない。

五 イデオロギー

シモーヌ・ヴェイユにとって「根をおろすこと」が重要だったことはすでに述べた。近代文明は人々を根こそぎにしたと彼女は感じていた。産業革命は農村共同体を破壊し、都市に労働力を集めた結果、労働者たちはみずからの故郷を失い、見ず知らずの人々と共同生活を打ち立てることもできず、孤立した日々を送るようになった。農民は農民で共同体が破壊され、都市を中心とした消費経済に巻き込まれていき、おのれの小さな耕地を唯一の守るべきものとし、互いに敵対していった。そうした中で富を増大させたのは資本家たちであるが、彼らもまた日々の生活を楽しむことを忘れ、収入と支出の数値計算に一喜一憂するだけでなく、未だ見たこともない土地と民とから最大限の利益を引き出そうとあくせくし、結局、根無し草になっていったのである。近代とは、そうしたおぞましい時代だとシモーヌは見た。

そのような状況で、人々は心の支えであった宗教を失い、互いに助け合うための倫理を失い、物的満足を満たそうとしてそれもうまくいかず、新たな宗教を求めるようになる。それが国家主義や全体主義といった政治イデオロギーなのである。そうしたイデオロギーには精神的次元が欠けているから、本当の宗教にはなり得ない。しかし、根無し草になってしまった人々は、そうした偽物の宗教に身と心を委ねることで、一時的にでも不満と不安を解消するのである。まるで阿片を吸うかのようにイデオロギーで精神の空洞を満たし、一時的にではあっても多くの仲間を得たような気になり、自身が何かの役に立っているという気になる。こうして、根なしの状態をますます深めていくのである。

そういう状態から人々は救われねばならない、そうシモーヌは思った。しかし、彼女にできることは限られていた。何が人間にとって大事なのかをはっきりさせること、何が近代文明の最大の問題点なのかを明確化すること、それを自身の課題とするので精一杯だった。

しかも、いくら考えたことを文章化したとしても、それを公刊しなかった。だから、世界への影響という点では意味がなかったとさえ言えるのである。だが、自身のために行っていたその密かな模索が、彼女の死後の世界に共鳴をもって迎えられた。この事実は誰にも消すことができない。彼女は未来の人々のために書いた、そういう解釈も成り立つのである。

生身の人間としての彼女は、ヨーロッパを襲う全体主義という敵と戦うことに命を捧げた。彼女にとって、彼女自身の魂の救済も重要であったには違いないが、人々の不幸を顧みずに自身の幸福を実現することは困難だったのだ。平安より戦闘を選んだのは、そのためである。

だが、こうしたことは彼女の思想と人生を研究している多くの人がすでに指摘しており、これ以上ここで述べる必要はない。そういう彼女が近代文明の中核である科学をどのように捉えていたか、そこに的を絞ることが本稿の務めである。すでに述べたように、彼女は代数こそは人類に危機をもたらすと見た。それは科学を抽象化し、私たちの現実感覚を葬り去ると見たのである。

彼女にとって、私たちが日常経験する現実こそが科学の出発点であり、科学はそこから離れてはいけなかった。現実から乖離した代数はまさに「根こそぎ」状態の数学であり、数学はその根である古代ギリシャの幾何学から離れてはいけなかったのだ。

だが、この考え方が正しいのかどうか、数学の専門家でない本稿の筆者には、容易に判断しがたい。たとえば、数学には数論という抽象的な分野があるが、そもそも数というものは感覚できないものではないだろうか。それ自体が、代数で使われる記号のように抽象的な記号ではないのか。インド文明はゼロを発見したと言われるが、ゼロを数とみなすこと自体きわめて抽象的な考え方であり、日常の感覚世界を超えている。まして、二乗したらマイナスの数になるという虚数の概念はきわめて抽象的であり、それを否定したら現代数学は成り立たなくなるというのだから、問題はあまりにも大きく深い。シモーヌ・ヴェイユのように抽象性を攻撃すれば、人間の思考そのものが成り立たなくなるのではないか。

もっとも、彼女の立場と合致する理論もある。たとえば、発達心理学者のピアジェは言語未習得の幼児は身体を動かすことで思考しており、この幼児的な思考が人類の全思考の基礎になっていると言っている（La psychologie de l'inteligence, 1967　邦題『知能の心理学』）。幼児の身体運動的思考は感覚が直接に把握する現実を基礎にしており、それが成人の思考の基礎にもなっているというのだから、現実を超えるような抽象的思考は思考の基礎を忘れたものであり、たしかに精神的「根無し草」を意味することになるのだ。

シモーヌは言語を獲得した人類が論理的思考力を増し、抽象的概念を構築してきたこと自体を否定しているわけではない。が、その基礎はあくまでも感覚による現実把握であり、知性はそこから離れることがあってはならないと考えたのである。代数の導入によって加速された抽象的な科学を、ピアジェもまた人間精神の発達にとって危険なものと見ただろうか。

シモーヌの危惧は今日の私たちを取り巻く環境によく当てはまる。代数的発想の極致が全世界の人類に最も大きな影響を及ぼす人工知能（＝ＡＩ）であるならば、この新型の思考機械が人類の思考機能を奪ってしまうという危機感が生まれて当然なのである。機械には思考能力はない、自動的な思考は自由な創造的思考とは異なる。このように一応は言えるが、彼女が言うように、代数的思考に依存するかぎり、創造的な思考がその活躍の場を失う危険は十分にあるのだ。

人工知能恐れるに足らず、という見方もある。人工知能の発達が機械的思考から人間を自由にし、人間はより創造的な活動をくりひろげられるという見方である。一応理屈は通っているが、問題はその創造的活動の基盤となる感情と意志の育成をどうするのか、である。大きな教育改革がないかぎり、人類は脅威にさらされつづけるだろう。

シモーヌの代数批判に戻れば、感覚できる現実の重視といった姿勢が彼女の宗教的世界観と不可分であったことを思い出したい。彼女が晩年に書いた「量子物理学についての考察」(Réflexions sur la théorie des quanta 1941) には近代科学が現実から乖離している事態を「不敬」(impis) と表現している箇所が見つかるのだ。何に対する不敬かといえば、無論、神に対してであろう。神とはこの場合自然と不可分であり、自然とは科学がつねに直面しなくてはならない現実なのである。これを無視した科学者は、彼女にすれば、「不敬罪」を犯していることになるのだ。

すでに述べたが、彼女は哲学の考察対象として科学を選び、通常の意味での哲学にはたいして関心を持たなかった。哲学一般が人々の生活に科学理論やその応用ほど影響を与えていない、と見たのであろう。「哲学」として制度化された学問は、それ自体ある種の硬直した文化の表れであり、一定の社会システムを保持することに役立っているだけだと見たのだ。この発想は『哲学の貧困』(La misère de la philosophie 1847) を書いたマルクス (Karl Marx 1818-83) と軌を一にするものだった。

彼女には、哲学の言語が抽象的になり過ぎていることにも不満があったに違いない。彼女が近代哲学の書を読む代わりにマルクスを選んだとすれば、それは後者がある種の現実を明確に捉えており、その言語が活きていると感じたからではなかったか。

哲学の言語が抽象的になり過ぎて言語として機能していないことを明確にしたのは、彼女と同時代の哲学者ウィトゲンシュタイン (Ludwig Wittgenstein 1889-1951) である。一九二一年に刊行された『論理哲学論考』（Tractatus Logico-Philosophicus）において、彼は言語が現実と対応関係を持たなくてはならないことを強調し、科学的言語は言語として意味があるが、大半の哲学言語は無意味なものだと斥けた。そういう彼は、宗教や倫理や美は示されるべきものであって、語られるべきものではないという厳しい姿勢を示したのである。これをシモーヌ式に言えば、神や善や美を言語化して語るのは「不敬」だということになる。

一方、数学については同語反復の世界であり、したがってその言語には意味がないとウィトゲンシュタインはいう。彼は意味ある言語の使用範囲に限界を設定し、人間はその限界を超えてはならないと戒めたのだ。

シモーヌがウィトゲンシュタインの哲学を知っていた形跡はない。知っていたとしても、たいして価値を与えなかったかもしれない。彼のいう言語の限界については多くの点で納得したかもしれないが、彼女にすれば彼の言っていることは当たり前に過ぎ、その当たり前さを示しただけでは不十分と思ったのではないだろうか。思想は実生活と結びついたものでなくてはならないのに、ウィトゲンシュタインは「哲学」とか「論理学」の世界に留まりつづけている。言語の非現実性を非現実的に述べたところで、所詮意味がないのではないか。彼女なら、おそらくそう思っただろう。

後期のウィトゲンシュタインは言語ゲームを考え、言語を意味から切り離し、もっぱら現実生活に還元しようとした（『哲学探求』Philosophical Investigations 1953）。それを知ったとしても、彼女にとって、彼の哲学は知的に過ぎ、言い換えれば「ブルジョア的」であったにちがいない。彼女にとって、言語は「ゲーム」である以上に、生の「詩」を表現すべきものであった。ウィトゲンシュタインの言語哲学は言語の最深部にある「詩」について何も教えてくれない、そう見たのではないか。

六　デカルト批判

ここから先は、シモーヌが書いた科学についての二つの論文の検討に当てる。一つは一九三〇年に書かれたとされる「デカルトにおける科学と感覚」(Science et perception dans Descartes)、もう一つは「量子理論についての考察」(Réflexion sur la théorie des quantas) である。後者は彼女の死の直前、一九四二年に書かれたもののようである。

いくつもある彼女の科学に関する論文のうちこの二つに焦点を当てるのは、ひとつにはこの二つが比較的に長いものであり、またそのうちの一つが彼女の初期のもの、もう一つが最晩年のものだからである。この二つを比べれば、科学についての彼女の見解のおよそがわかる。前者がデカルトによって始まった代数の科学への導入についての批判であるとすれば、その延長線上に花ひらいた量子物理学への批判が後者のテーマとなっている。彼女のこの見解が科学の実情に照らして本当に正しいのかどうかは簡単に言えないが、それらの批判のいくつかは今日でも妥当性があるもののように思える。

論文「デカルトにおける科学と感覚」は序論と二つの主部から成っている。序論では科学とはどういうものか古代ギリシャの例をとって説明し、シモーヌの立ち位置を明示する。主部に入るとその前半でデカルトの科学に対する厳しい批判を展開し、後半で科学はどうあるべきかという彼女自身のヴィジョンを提示している。

序論で開示する古代ギリシャの科学についての文章は、その草分けともいうべきタ一レスに焦点を当て、この人物を「考えることを最上価値として打ち立てた」最初の人物として高く評価している。

> タ一レスは幾何学を発見したが、その発見は革命をもたらすものだった。なんとなれば、それは神官たちの帝国を打ち砕くものだったからだ。（…）すなわち、この革命は「信じて従うこと」のかわりに「考えること」を最上価値として打ち立てたのである。（…）またこの革命は不平等を打ち砕き、平等をもたらすものであった。その結果、私たちは学者たちの権威のかわりに、自らの理性に従いさえすればよいことになったのだ。[15]

15　Simone Weil : Sur la science（Gallimard, 1966）en version numérique, Chicoutimi, Université du Québec à Chicoutimi, 2004, p.3

シモーヌの科学観が明瞭に示された一節だが、彼女が「革命」（révolution）という語を用いているところにとくに注目したい。ターレスが幾何学を発見することで思考することの価値を称揚し、それによって人類に平等と民主主義をもたらしたことを「革命」と呼んでいるのである。すなわち、彼女がモデルとする科学は自由な思考力の価値を示すものでなければならなかった。人は一七世紀の科学革命を口にするが、彼女にすれば、人類に本当の革命をもたらしたのは古代ギリシャだったのだ。

多くの人はシモーヌ・ヴェイユといえば「信仰の人」のように思い込みがちだが、思考の自由が「神官たちの帝国」を打ち砕くことによって得られたと言っているところから、彼女にとっては思考することが至上価値であったことがわかる。信仰は彼女において思考の果てにしか現れないもの、あるいは思考の行き着くところだったと見てよいだろう。

「私たちは学者たちの権威のかわりに、自らの理性に従いさえすればよいことになった。」この言葉の通りに、彼女は「学者たちの権威のかわりに、自らの理性に従」って、デカルトの科学を批判し、やがては量子力学の批判に至ったのである。自分が専門の科学者でも数学者でもないからといって、数学や科学の問題点を批判できないなどとは思わなかったのだ。ターレスがひらいてくれた道をそのまま受け継いだ結果である。

もっとも、ターレスより時代的にはるかに彼女に近いデカルト、彼女が厳しく批判するデカルトは、実は「理性」の平等を強調した人だった。彼の『方法序説』（Discours de la méthode 1637）を読めば、物事を分別する常識は万人に与えられているという主張が見つかるのである。彼女もそれを知っていたにちがいないし、その伝統は彼女の師アランに代表されるフランスの哲学教育に染み込んでいたはずだ。したがって、彼女のデカルトに対する立ち位置には、すでに一種のアンビヴァレンツが潜んでいたと見ることができるのである。

シモーヌのデカルト批判の序に戻ると、そこには近代科学についての以下のような概観が見つかる。

近代の科学、とくに物理学はターレスが発見したことを感覚の及ばない範囲、感覚が否定される範囲にまで拡張した。（…）自然という書物の中に幾何学図形のかわりに数式が並んでいるのを見たら、彼は失望したに違いない。ギリシャの科学においては数と図形と機械が中心だったのに、今や純粋な比例関係のみが追求されるようになってしまったのである。[16]

つまり、近代科学は幾何学の生命であった図形を数式で置き換えてしまった、しかもその数式で示されるのは「比例関係」だけになったというのである。なるほど$a:b=c:d$で表現されるものは比例関係であって、そこでのaもbもcもdも比例関係そのものほど重要ではなくなる。これを彼女は具体から離れること、すなわち抽象化と見たのである。

16　同書 p.4

比例関係の追求は古代ギリシャにもあったものであり、近代科学はそれを継承したのであるから、それ自体は数学の本質であったはずだ。シモーヌが言いたかったのは、その際ギリシャ人は図形という感覚できるものを離れなかったのに対し、数式を導入した近代人は感覚を離れてしまったということだ。そのことが科学を世人の常識から遠ざけることになり、科学は科学者にしかわからない象牙の塔となってしまったというのである。物理学はものの世界の研究であるはずなのに、ものを離れて数式の世界に没入し、それによって科学は自らの根を失う。彼女が見たのは、まさにそれだった。

近代科学のこの問題点については、彼女より少し年上の中国科学史家ニーダム（Joseph Needham 1900-95）が、別の形で以下のように言っている。

中国とイスラムの科学は科学と倫理を分断することなど考えもしなかった。ところが、西欧では科学革命が起こり、アリストテレスの言う究極の原因というものが忘れ去られ、科学から倫理が消去され、以来、事態は危険を帯びてきたのである。近代科学は人間の様々な経験を整理し、明確化したという功績はあるのだが、他方で、悪い人間にその財産を勝手に使える道もひらいてしまった。科学者はこの新たな道を歩みだし、人類を破壊する方向に進んでしまったのだ。科学は宗教と哲学と歴史と美的な体験と一緒でなければならない。でないと、とんでもない悲劇をもたらすことになる。[17]

シモーヌはこのイギリス人の仕事を知らなかっただろうが、知っていれば大いに興味を抱いたはずだ。科学の抽象化は、彼女にとって、ニーダムのいう近代科学の脱倫理を意味していたのである。デカルト批判の序論部は、なぜシモーヌがデカルトを論ずるに至ったかを説明して終わる。近代科学は代数を導入することで誤った方向に進んだと考える以上、その出発点としてのデカルトを考察すべきだと思ったというのである。最後の一文を引こう。

そこで私は近代科学の原点に立ち戻り、物理学が一種の数学になり、幾何学が代数になってしまう二重の革命の張本人、デカルトに戻ることが必要だと考えた。[18]

デカルトをターレスに匹敵する革命家と捉えたあげく、その革命が科学を科学でないものにしてしまったと弾劾しているのである。

デカルト批判の主部に入ろう。主部の前半で、シモーヌはデカルト革命が近代科学にもたらした問題点を列挙する。それによれば、第一の誤りは感覚を断罪したこと。デカルトは感覚からやって

17　Joseph Needham : Precursors of Modern Science in The UNESCO Courrier, October 1988, https: //unesdoc.unesco.org/ark:/48223/pf0000081712, p.7-8
18　Simone Weil : Sur la science. p.7（注15参照）

来るすべての情報を虚偽として斥けた。この姿勢が後世にまで受け継がれて害をなしたというのだ。感覚なくして思考は始まらない、デカルトは根本的な誤りを犯した、そういう趣旨である。

しかし、感覚を素朴に信ずれば地球の自転など誰も思いつかない。潮の満干が重力によるものであることなど思いもつかない。近代科学は感覚が与える情報を懐疑のフィルターにとおしたことで勝利したのであり、シモーヌの主張はデカルトの真価を見誤っていると批判することもできるのである。もっとも、彼女にすれば、地球が球体であるのかないのか、私たちが生きるにあたってそれほど重要なことなのかと問いたかったろう。この問題は私たち全員に関わる問題であり、彼女の問題提起は依然として意味を持つ。

つぎに、デカルトが理性を尊重しすぎたことも問題だ、と彼女はいう。デカルト式の合理主義は人間が世界から独立した存在で、世界を統御できる存在だという錯覚を生み出す。科学者がこのことに気づかなければ、科学は誤った方向に進んでしまうというのだ。なるほど、デカルトの合理主義が人類至上主義と結びついていることは、『デカルト派言語学』(一九六六)でチョムスキーが示したデカルト派の思想を見ればわかる。[19] そういうチョムスキー自身、デカルト派と同じ過ちに陥っている。

デカルトのもう一つの誤りは幾何学を代数化し、図形のある世界を図形のない世界へと還元してしまった点にあるとシモーヌはいう。これによって科学が感覚できない抽象世界となってしまい、「数値化され得ないものは現実ではない」という誤った見方を生み出したというのである。同じ批判はベルクソンも提示しているが、彼女はベルクソンを読んでいなかったようだ。それに、ベルクソンがそう言ったからといって、彼女がそれを口に出してはいけない理由などどこにもなかった。

デカルトは人間の理知を神の叡智のレベルにまで高めてしまったことで近代科学全体を宗教にとって代わるものにしてしまった、そう彼女は言う。彼女にすれば、デカルトに発する近代科学は不遜であり、敬虔さを欠くものだったのだ。

さて、以上のようにデカルトが近代科学にもたらした諸問題を列挙した彼女であるが、前半部の最後のほうに、少しだけ彼を弁護する姿勢が見える。すなわち、デカルト哲学は実際にはそれほど単純なものではなかったというのだ。しかし、それもつかの間、再び持論に戻って、彼が近代科学の誤りの元凶であることを、今度は彼の哲学の核である「コギト」と「方法的懐疑」を問題にして確認する。

デカルトといえばコギト（cogito）。『我思う、ゆえに我在り』という思考主体の確立がすぐ浮かぶ。これについて彼女は、「ソクラテスの『汝自身を知れ』を自身の出発点としていたにもかかわらず、あえて物理学の研究に全生涯を捧げるとは！」と批判する。[20] すなわち、デカルトは哲学の本分を忘れて、自身の存在について思考するかわりに、自身の外にある物質世界にばかり思考対象を求めた

19　Noam Chomsky : Cartesian Linguistics, Harper & Row, 1966
20　Simone Weil : Sur la science. p.7（注15参照）p.31

ところが問題だというのだ。

デカルトを有名にした「方法的懐疑」（doute méthodique）についても彼女は手厳しい。デカルトの懐疑は自身の存在を幻想であると気づくところにまでは至らなかった、そこには一種の「ごまかし」（ruse）があったというのである。そうした「ごまかし」の上に立脚している近代科学は信頼できるものではない、ということになる。

彼女が言うように、デカルトの方法的懐疑に「ごまかし」があるのなら、すなわち「思考主体」（＝コギト）そのものを懐疑しないところに問題があるというのなら、確かに彼は哲学者として失格だったといって間違いないだろう。その「ごまかし」のせいで、それまで科学と一体だった「汝自身を知れ」という哲学が「物の世界の真理」を探究する科学から分離されることになった。したがって、デカルトの誤りは私たちの世紀にまで尾を引いていることになるのである。なんとなれば、哲学と科学はいまだに離れ離れだからだ。

今日の科学者で、自分は宇宙の真理、物質の根底にある真理を探究するだけでなく、自分自身について同じ科学的方法で理解しようとしていると言える人が何人いるだろう。それをしないうちは、彼らの科学は決して哲学にはならないのである。シモーヌにすれば、哲学でない科学などあり得なかった。

シモーヌ・ヴェイユのデカルト批判の後半に移ろう。この部分が極めて独創的であるというのも、そこで彼女はデカルトにならって自らの科学論を打ち立ててみせてくれるからだ。これによって、自らの立場とデカルトの立場との違いが明瞭化される。文体も独白体になっており、デカルトが『方法序説』や『省察』（Meditationes de Prima Philosophia 1641）で用いた書き方を大胆に採用している。シモーヌの熱気が伝わるその冒頭部を引用する。

私たちは生き物である。私たちの考えは快感か苦痛を伴う。私は世界の中にいる。私は私の外にあるなにかに依存していると感じ、またそのなにかも私に依存していると感じる。依存されていると感じると、いい気持になる。逆に、自分が外部に依存していると感じることは不快である。空とか太陽、雲、風、石、こうしたものは私が存在していると感じさせてくれる限り、私にとって快い。逆に、そうしたものが私の存在を窮屈にしていると感じられるなら、私には苦痛となるのだ。だが、快感と苦痛はそれほどはっきり分離されてはいない。それらは詩におけるように、混じり合っている。[21]

この文章を読むと、すべての近代文学の源がデカルトにあり、シモーヌ・ヴェイユもその文学の流れを受け継いでいるとさえ思えてくる。にしても、デカルトとの差異はあまりにも顕著だ。彼女

21　同注20　p.32

は「私は世界の中にいる」と言い、世界と自分との切っても切れない関係を「快感」と「苦痛」の二つの言葉で表現している。そうした発想は、デカルトには皆無なのである。しかも、その二つの感覚は「詩」におけるように混じり合っているとまで彼女は言う。「詩」とは快感と苦痛の混じり合ったもの、すなわち生きることそのものだと言っているのだ。

デカルトは思考することで「世界」の外に出られると信じた。これに対し、シモーヌは人間にそんなことができるわけがないと思っている。デカルトには快感と苦痛の織り混ざった現実を「詩」という言葉で表現することなど決してないし、思考の出発点を理性ではなく快・不快の感覚であるとする発想もない。

上の引用文のすぐあと、シモーヌはいきなり数学に話を移す。

> 私の目の前にあるこれらのものは、これらが私の存在と切り離せないと感じればこそ、存在しているのだ。(…) しかし、だからといって、私が感じること以外なにひとつ確実なものはない、などと結論を急ぐ必要はない。抽象的な真理というものが、私の感覚や感情とは無関係に存在するからだ。算数の規則などは快感や苦痛と無関係だ。だから、簡単に忘れることもできる。しかし、それらを検討してみると、なるほどそれらは正しく、私の力をはるかに超えた何かなのである。[22]

　そこで彼女は「２＋２＝４の真理性は必然的なものか否か」と自問する。普通の人なら「必然的だ」と答えるはずだが、彼女は「否」と答える。なんとなれば、そうした真理は彼女の生になんら意味を与えないからだ。生の意味とは、あるものが自分の存在を感じさせるということである。数学の真理は彼女の存在を感じさせない、そう言っているのだ。

　数学的真理を必然でないと言うということは、数学が示すものは偶然にすぎないと言っているようなものだ。これを見るかぎり、彼女の立場を実存主義的と見てもよいだろうし、中学生がはじめて数学を学ぶときに感じることをそのまま述べていると見てもよい。では、彼女の発想は、それほどに素朴で単純だったのか。

　デカルト哲学の核心部である「意識」（＝思考）についての彼女の立場表明も、似たような単純さを感じさせる。

　　私の意識においては、さまざまなものが偶然に現れ出てくるだけである。したがって、私の意識においては偶然なものしかない。それ以外になにもない。（…）同様に、意識のなかに現れる私も、これまた偶然である。意識が私に示すのは私ではなく、私自身についての意識だけなのだ。（…）私に知ることのできるものは、私の意識であって、意識される事物ではない。

22　同右　p.34

私に知ることのできるのは、私には意識があるということだけだ。つまり、私は自分が考えているということは知っているが、それ以外は知らないのである。[23]

彼女が言うように、意識のみが知の対象となり得るのなら「客観的実在」などないことになる。世界が意識のみならば、そこにはなんら必然性もないことになり、数学も科学もなんら真理を示せないことになる。これは実存主義といっても、あまりにも大胆な主張ではないだろうか。

だが、前記の引用には、意識は自己の存在を保証しないという主張も見つかる。これは行動主体としての自己の存在を信じる実存主義とは明らかに異なる立場だ。つまり、シモーヌの立場は、「我思う、ゆえに我在り」の前半部だけを採用し、「我思う」から「我在り」に移る過程を否定するものにほかならない。

意識のみを真実とするのは仏教の唯識説に近い。彼女が仏教についてどの程度知っていたかはわからないが、それを明らかにすることにさほど意味があるとは思われない。西洋哲学のなかではバークリー（George Berkley 1685-1753）の哲学に近かったと言えるかも知れないが、彼女はおそらくバークリーに精通してはいなかったろう。重要なのは、彼女がどう考えていたかであり、他の思想との関連は、彼女に即して言えば、どうでもいいことなのである。

上に見たような徹底的懐疑論を展開するシモーヌは、一体どのような世界観を基盤に生きたのだろうか。もしすべてが偶然であるならば、生は極度に不安定なものとなるはずだ。生きるには、すべての生きものがそうしているように、これが現実だとする基盤がなくてはならない。彼女にとって、その基盤は何だったのか。

これについては憶測するほかないのだが、おそらく彼女にとって偶然を必然に転ずるためには神が必要だった。すべての無意味を有意味にするもの、それが神である、とパスカル（Blaise Pascal 1623-62）のように思っていたのではないだろうか。

シモーヌは幾何学の起源は私たちの身体行動が生み出す幻想であるとも述べている。その幻想が現実となるにはある種の信仰が必要であり、その信仰のおかげで私たちは幾何学の示す世界を経験できるのだとまで言っている。幾何学は幻想だが、その幻想は生に密着するものであり、その現実性は信仰によって支えられているというのだ。

一方、代数はというと、そうしたことが起こらない世界だと彼女は断言する。なぜなら、それは身体行動から遊離したもので、いかなる現実にもなり得ないからだと。代数のおかげで計算が速くなるのは事実だが、それは現実の重みから自由となり、私たちの生と無関係になることに因ると彼女は見る。そのような代数に依拠する科学を本当に科学と呼べるのか、そう詰問するのである。

ところで、彼女は認識の出発点である身体行動を「仕事」という語でも表現している。彼女の認識論は「仕事をする人間」の認識論なのだ。科学を含めた人間の思考は労働の産物だと考えるあた

23　同注20　p.36

り、依然としてマルクスに近い。

彼女の認識論からすれば、デカルトの「広がり」(étendue) という空間概念も現実に即していない。空間は「仕事」によって構築される概念のはずだからである。デカルトの「広がり」は計算には向いているかもしれないが感覚できない、現実から遊離している、そう見たのだ。

この批判は幾何学を正当な科学とし、代数を科学として認めない彼女にすれば当然であった。あらゆる事物が「広がり」という極めて漠然とした抽象概念に還元されてしまうならば、事物の形状はどうでもよくなり、幾何学は事実上消え去るのである。一方、あらゆる事物が「広がり」に還元されれば、数値化は容易となる。デカルトが科学を数値的なものにし抽象化したとはそういう意味なのであり、その数値化のおかげで科学が急速に進歩したことは間違いのないことだ。

こうしたシモーヌの科学論は、人類にとっての科学を追求したレヴィ=ストロース (Claude Lévi-Strauss) の『野生の思考』(La pensée sauvage, 1962) を思い起こさせる。彼女の兄アンドレの友人であり、シモーヌとほぼ同年代で同じく脱宗教のユダヤ人であったこの人類学者の「具象の科学」(science du concret) 擁護論は、それが書かれたのが彼女の死後であったため彼女の知るところとはならなかったが、その発想にシモーヌとの共通点が多いのである。ちなみに、彼の最初の妻ディナ・ドレフュス (Dina Dreyfus 1911-99) は、シモーヌの思想に多大な興味を抱いていたようで、彼女について文章を書いている。[24]

ところで、科学者は感覚的現実から遊離しているとシモーヌはいうが、科学者にとって実験は必須のものであり、実験では感覚器官が駆使され、理論が現実に妥当するかが検証されるのだから、科学はそれほどに現実と遊離しているわけではないという反論も成り立つ。これについて彼女自身は周到に答えを準備しており、それによれば、科学者が感覚器官を使って観察をしたり実験をしたりするときには、日常生活での観察や実験とちがってきわめて人為的な装置や器具を用い、それらに応ずる形で感覚するのであって、いわば感覚そのものがすでに現実離れしているというのである。私たちの日常の感覚は個々の人間の状況を反映し、性格をも反映するが、科学者の観察や実験ではそうした個性的部分は過誤とされ、排除される。科学者はデカルトにならって幾何学を代数に置き換え、空間を「ひろがり」に置き換え、個々の特殊性を一般性に置き換えているのである。

この論の延長線上で、彼女は科学が人類にもたらす恩恵について否定的な答えを出す。代数が基礎となる限りにおいて、科学はなんらの意味をも人類に示すことはできない、したがって人類を変革に導くこともあり得ないというのである。人類に変革をもたらすことができるのは身体を使って「仕事」をすることだけだ、と彼女は言う。西田幾多郎が「行為的直観」と表現したもの[25]に近い思想が、そこには見える。

以上から、彼女が反＝啓蒙主義者であったことは明白である。彼女の思想から帰結されるのは、啓蒙主義が称揚した近代の理知は人間を現実から遊離させ、「虚妄」に導くものだということだか

24　Dina Dreyfus：La transcendance contre l'Histoire chez Simone Weil, *Mercure de France* 1053, 1951
25　西田幾多郎「行為的直観」（一九三七）『全集』第八巻、岩波書店、一九七九

らだ。これには、以下のように反論することもできよう。代数の影響で虚妄ばかりが現実にはね返ってくるわけではない、「仕事」が機械化され、本来身体が占めていた地位が失墜していく一方で、人間は機械的な仕事を機械にさせることによってある種の自由も得ているのではないかと。

これに対しては、科学を科学として認知することができない人類は科学を信仰の対象とするか、それともその便利な面だけを採用して楽な生き方をするかのどちらかで、決して思考を充実させることにはならない、と彼女なら言ったであろう。彼女の主張をよく読めば、そこには近代文明が進めば進むほど啓蒙主義は後退し、蒙昧が支配するという文明の末路についての警告が見つかるのである。彼女とほぼ同年代のアドルノとホルクハイマーが『啓蒙の弁証法』で示した見解と一致する見解であるが、彼らが互いを知ることはなかったようだ。

さて、以上見てきたように、デカルトの代数導入に発する近代科学について激しく批判を展開してきたシモーヌ・ヴェイユであるが、この論の終末部で唐突に科学の必要性に言及する。読者としては戸惑わざるをえないのだが、科学は精神修養には役立つものだといい、その根拠はというと、想像力と情熱に心が奪われないように精神を安定させるから、ともっともらしいのである。このような補足が彼女らしくなく、論の趣旨にそぐわないことは明瞭で、科学は現実から遊離しているというのに、そのような非現実なものが精神の落ち着きに役立つはずがないではないかと反論したくなる。これは明らかにシモーヌの側の譲歩であり、一体このような譲歩がどうして必要だったのだろうと考えさせられるのである。思い切って強敵に突進したのはいいが、急に怖気づいてしまったのか。

同じ終末部には、もうひとつ唐突な譲歩がある。すなわち、デカルトの科学には救うべき点もあるとし、科学から感覚世界を引き離した誤りはあるものの、感覚が思考の源だという見方を完全に放棄していたわけではなかったというのだ。こうなると、デカルトには明らかに矛盾があったということになるが、読む者は矛盾をおかしているのがデカルトなのか、シモーヌなのか判断に苦しむ。先にも述べたデカルトに対するアンビヴァレンツが見つかるのである。もっとも、このアンビヴァレンツ、もしかすると彼女にデカルトを教えた師アランに対するものだったかも知れないが。

シモーヌはデカルトには矛盾があったが、この矛盾を解決する方策もあった、その方策は「神」に調停してもらうことだった、と問題を片付けている。かくしてデカルトに免罪符を与えるのだが、ここで神を持ち出して解決を試みたのがデカルトだったのか、それとも彼女自身なのかという疑問が残る。近代フランスという合理主義的にしてカトリックの国に生まれたユダヤ人として、それらに対して態度決定をすることは非常に難しいものだったのかも知れない。その困難は同時代のフランスにおける同化ユダヤ人が多かれ少なかれ共有していたと思われるが、そうであってもなお、シモーヌ・ヴェイユなら神を持ち出す代わりに、哲学的な解決法を示すべきだったのではないかと思われる。彼女の強靭な思考力なら、それができたはずなのである。

七　現代科学批判

シモーヌの晩年の科学論、「量子理論についての考察」(一九四二)について述べるときがきた。冒頭の一節を引用する。

古代ギリシャ以来の科学と今日「科学」と呼ばれているものとの間に大きな溝ができてしまった。それは「相対性」と「量子」という二つの概念が登場したためである。前者は世界中に衝撃を与えたが、後者はほとんど誰もが知らずにいる。しかし、二〇世紀初頭に生まれたこの二つは、矛盾を受け入れ、さらにそれを肯定するという点において革命的なのである。[26]

ここでシモーヌが表現しているのは、本来科学というものは矛盾を認めないはずなのに、相対性理論も量子論もそれを認めていることへの驚きである。「何かとんでもないことが起こっている」という率直な感想の表明である。

では、どのような矛盾をこの二つの理論に見出したのだろうか。まず相対性理論については特殊相対性理論に注目し、この理論は光速の恒常性に依拠しているが、およそ速度というものは恒常的ではあり得ないから物理法則と合致しない。なのに、それを新たな法則として打ち出しているところに矛盾がある、というものである。一方の量子論については、量子論がエネルギーを連続体と見ずに非連続のものと見ているところが矛盾している、と言っている。これは、今日の眼からすれば見当はずれではないだろうか。

相対性理論は従来の物理法則では説明できないことを説明するために生まれたのであるから、従来の物理法則と合致しないのは当然で、これを「矛盾」としてしまうのは彼女が古い物理学にとらわれていたからだと判断できる。また、量子論にしても、さまざまな試行錯誤の結果どうしてもエネルギーを微小粒子の運動として捉えるほかなかったのであり、それが従来の科学の常識と食い違っていたからといって、これを「矛盾」とするわけにはいかないだろう。彼女の科学観は新しい科学を正しく評価するには適していなかった、そう見えるのである。

もっとも、これらの新しい科学は多くの人が馴染んでいなかったから、彼女の無理解を責めることは一概にはできないかも知れない。とはいえ、彼女が旧式の科学観にしばられていたことに変わりはなく、そこに彼女の科学観の限界があったと言えそうなのである。

光速の恒常性について言えば、多くの科学者がこれについて懐疑的であったが、一八八七年のマイケルソン＝モーリーの実験によってこれを認めざるを得なくなったという事実がある。相対性理論はそれを受けて出来あがったものであるから、証明された事実と合致したものであり、そこにな

26　Simone Weil : Sur la science. p.7（注15参照）p.130

んら矛盾はなかったのである。

シモーヌがこのことをよくわかっていなかったことは残念だが、もうひとつ残念なことがある。彼女がアインシュタインの理論を考察の対象にし、彼女なりに光速の問題を追求していれば、あるいはアインシュタインとの接点が見出せたかも知れない。それをしなかったのは、論の標題が示すように、彼女の眼が量子論のほうに向いていたからだ。

彼女にとって光は「永遠なるもの」(éternel)を意味しており、それはアインシュタインが一般相対性理論で展開したときの中心概念である「重力」(pesanteur)と対峙するものだった。「永遠なるもの」が「恒常性」とつながることは言うまでもない。相対性理論において光速は恒常的であり、これを上回る速度はないとされているのだから、この問題は彼女にとってたいへん興味深かったはずなのである。

通常は物理世界の「光」と精神世界の「光」は別物とされるが、光は光であるにちがいない。哲学者、宗教者の光の探究が物理学と結びかないとは言えないはずなのである。科学が発見していく事柄が、それに対応して人間精神の内部でも起きているという可能性を排除することはできない。スピノザ哲学にはそうした面への考慮がなされているように見えるのだが、スピノザの研究者はこの点を十分検討しているとは思えない。

シモーヌの思想に迫るにもスピノザ的観点は必要だ。この観点抜きに、彼女があれほどまで熱心に科学批判を展開したことの意味はわからないとさえ思われる。彼女がスピノザの心身二元論の根底にある原理を知り、精神界と物質界の対応関係をスピノザが「永遠なる相」のもとに見ていたと知っていたなら、彼女の科学観はさらに堅固になっただろう。『エチカ』第五章命題三〇において、ユダヤ教会から破門されたユダヤ人スピノザは、次のように述べているのである。

私たちの魂が自らと身体とを永遠の相のもとに（sub aeternitatis specie）見るとき、実は神を見ているのであって、これはどうしてもそうなのである。そのとき、私たちの魂は神の中にあり、自分が神の認識の一部なのだとわかるのである。[27]

ここから導き出せるのは、精神も身体もいずれも神の一部だという認識である。したがって、すべてが神聖なのである。科学を含めてすべての思想を人間の業を超えたものとして捉えるこの見地、現代人には理解しづらいにちがいないが、シモーヌであれば共鳴できたのではないか。

シモーヌの量子力学についての考察に眼を向けよう。彼女はまず量子の発見者であるプランク（Max Planck 1858-1947）に焦点を当て、彼がエネルギーを「非連続」のものと捉えたことに注目する。本来「連続的」であったはずのエネルギーがどうして「非連続」となり得るのか、そこに疑問を抱いたのである。

27　Spinoza:Oeuvres 3, Ethique, Garnier-Flammarion, 1965, p.329

こうした疑問は連続性と非連続性を矛盾するものと見ることによって生じる。二つのうちのどちらかでなくてはならないとする立場に立てば、そういう疑問が生じても仕方がない。しかし、ボーア（Niels Bohr 1885-1962）が提唱したように、必ずしも二者択一する必要はなく、どちらにも理があると認めることもできたはずである。彼女に、そうした発想はなかったのか。

論のはじめではプランクの量子論に「矛盾」を見出していたシモーヌであるが、奇妙なことに、ある箇所でその発想がひっくり返る。一転して、矛盾を容認する立場をとるのである。

古典科学で問題なのは、矛盾を解消しようとしたことである。すなわち、私たちの生の一部となっている対立するものどうしの相関関係を解消してしまおうとしたのである。そんなことをする権利を私たちは与えられていないのに、古典科学は対立するものの一方を消し去ることで、対立そのものをなくそうとした。そうすることで、私たちの生の根本問題を解決できると思ったのである。[28]

この引用からわかるように、彼女が批判したのはむしろ矛盾を排除しようとした古典物理学のほうだ。では、それならどうして、プランクのエネルギー非連続説に異議を唱えたのか。

これについて、彼女は以下のように説明している。すなわち、プランクのエネルギー非連続の説はそれ自体としては古典物理学の問題点を克服するものとして歓迎すべきなのだが、その克服の仕方が問題だというのである。何が問題なのかというと、物理学の使命は宇宙あるいは自然について統一的で一貫したヴィジョンを提示することなのに、プランクはそれをしていない。古典物理学には曲がりなりにもあった世界観が、彼の量子理論には欠落しているというのである。

要は、矛盾を容認することはやぶさかでないが、矛盾を抱え込んだ上での世界観が欠如している、そこが問題だということだ。なるほど、量子理論が出現して以来、それと相対性理論との関わりや統合といったことがこれまでなんども模索されてきたが、いまだに現代物理学はひとつの世界観も提示できずにいる。そんなものは必要ないと居直ることもできるわけだが、量子理論を応用して文明の利器が次から次へ生産され、販売され、使用される現在、その根底にある哲学が不明なままでよいのかという問題は依然として残る。

プランクへの批判は、古典物理学を葬り去る新しい科学へのシモーヌの期待の裏返しと言えなくもない。古典物理学には「敬虔さがない」、自然と生への侮蔑を含んでいるという彼女にとって、それにかわる科学があるとすれば、その科学は生への尊敬に満ちた、より倫理的なものでなくてはならなかった。ところが、当のプランクはその期待に応えていない、というわけだ。

彼女にすれば、プランクは古典物理学に対して自らの立場をはっきり示すべきなのに、それをしていない。それどころか、彼は古典物理学の悪弊である代数への依存をつづけている。そうなると、

28　Simone Weil : Sur la science, p.141（注15参照）

量子論は科学を感覚できる現実に戻すどころか、ますます抽象化する。これは由々しき事態だというのである。

では、プランクの代数依存はどういう性質のものなのか。シモーヌによれば、量子論の出発点にあるエネルギーは本来「仕事」を基礎にする概念であり、力、質量、熱と並んで身体活動をモデルにしたものであったはずなのに、彼がそうした具体的現実を素通りして、もっぱら「計算上の都合」で量子という非連続体を考え出したところがいけないというのである。[29] 彼女が用いた"convenance de calcul"(「計算上の都合」あるいは「つじつま合わせ」)という言葉は強烈な響きを持つ。真理探求をするかわりに計算上のつじつま合わせをする。これを科学と呼べるのか、と。

だが、この批判が量子論への批判として妥当かどうかは疑問である。たとえその初期において計算上のつじつま合わせがあったにしても、それは暗中模索の段階にあったからで、その後の量子論の発展を見ると、たとえばボーアにしろ、ハイゼンベルグにしろ、シュレディンガーにしろ、哲学的世界観を構築しようとしたではないか。

彼女の量子力学についての見解が一定の限界を持っていたことは確かである。しかし、彼女の認識不足を科学的知識の不足と片付けるのは早計であろう。ましてこれを精神の稚拙さ、科学の凄まじい進歩についていけない遅れた精神のあらわれ、と見ることは妥当ではない。というのも、例えば現代物理学を代表するファインマン(Richard Feynman 1918-88)は、周囲の科学者たちが物理現象の数式化に明け暮れし、科学の本質を見失っていることを嘆いているからである。[30]

人によっては、計算上のつじつま合わせの何が悪いのかと疑問を抱くかも知れない。都合のよい理論は真理にまさって優遇されるべきではないのか、と。シモーヌにすれば、そういう考え方こそ近代社会に蔓延する似非科学主義であり、それが人類を最も大きな危険に導くものであった。本来の道を失ったご都合主義の科学は、便利さを優先させるがゆえに政治権力のしもべとなりやすい。真理の探求を放棄した科学者は社会に対して責任をとりもしなければ、自らの研究の社会的意義について考えることもなくなる、そこが大変危険だと見たのである。

たしかに、彼女の同時代の物理学者たちの大半は社会的責任という観念から遠いところにいた。彼らの知識は、全体主義のためであろうとなかろうと国力向上のために利用され、その結果が例えば核兵器の製造となったのである。量子力学者のゲルマン（Murray Gell-Mann 1929-2019）は「量子力学は専門家にも理解できないものだ。だが、この理論は驚くほどよく機能する」と言っている[31]。シモーヌを憤慨させたであろうこうした発言が示すのは、科学にとって真理とは何なのかという問題が量子力学には欠落していたことを示す。

ついでながら言っておけば、科学を真理探求の道と考えつづけた国は近代において稀である。先進国は帝国主義戦争を勝ち抜くのに役立つ科学を積極的に支援した。ドイツ、日本のような後進近

29　同注28　p.135
30　Richard Feynman : Surely You're Joking, Mr Feynman!, 1985 Kindle, 3651/5405
31　Manjit Kumar : Quantum, Icon Books, 2008参照

代国家も同様で、こちらのほうが状況はもっと深刻だったかも知れない。急いで先へ進むことだけを考え、科学技術の意味について反省するゆとりなどなかったからである。

シモーヌにとっては真理の探求こそ科学の使命だった。だが、そのような「真理」は本当に存在するのだろうか。すでにデカルトを批判した論文で、彼女は科学そのものを虚妄と見なしていた。もし科学が虚妄なら、それが求める真理なるものも虚妄であるにちがいない。そのような立場に立っていた彼女が、どうしてそこまでプランクに目くじらを立てたのか。

量子論も、他の科学理論も、これを真理であるとか虚妄であるとか見るよりも、一つの視点と見るべきではなかったか。シモーヌは量子論が世界観を提示していないと非難したが、統一的世界観など提示できないという世界観もあってよかったはずなのだ。同じ科学理論といっても、その世界観は科学者ひとりひとり異なっていると見ることもできる。科学者は真理について幻影を抱いているのであり、その幻影を科学者どうしの共同体が結束して守っていると見るならば、科学といえども夢であり、神話ということになるではないか。それぞれの神話は、それを育む科学者の器量に応じて他の人を魅了もすれば、納得させもする、そういうことではないのか。

さて、シモーヌはプランクの科学者としての態度を批判したあと、同時代の科学者集団に批判の矛先を向ける。こちらの批判のほうが、プランクに対する以上に痛烈で容赦がない。彼女は彼らの集団を「無知な人々の村」と表現する。「村」とは閉鎖性を意味し、「無知」とは細分化された専門領域のことしか知らないために「教養」が欠けている、という意味である。

科学とは何か、科学の根本にある哲学は何か、そういうことに一切関心を持たない人々の集まり。そこには社会全体の動きや人々の意見には耳を貸さない傲慢さもある、と彼女は見た。それもそのはず、彼らは子供のころから「神童」と騒がれ、根拠のない優越感を持ち続け、人間に必要な教養を欠いているというのだ。

彼らも人間であるから欲望と嫉妬心は誰にも劣らないほど持っている、と彼女は付け加える。野心にかられて「一流」を目指すのに精一杯で、倫理など顧みないというのだ。一方、政府や大企業はそういう彼らの研究成果で役に立ちそうなものがあるならば、それが科学的にどのような意味を持つかなど吟味することなく、「事実」あるいは「真理」として受け止める。そしてそれを利用するだけでなく、メディアを通じて流布もするのである。こうしていわゆる「世論」なるものが形成され、それが科学者たちをますます助成金獲得競争に駆り立てるというわけだ。

シモーヌがとくに危険視したのは、「科学が示すところでは」という彼らの口癖である。「私が思うには」と言わずに、「科学が示す」と表現することで責任転嫁をしていると見たのだ。「科学が示す」といえば個人の見解ではなく、絶対的真理として聞こえる。そうしたレトリックを危険視したのである。

ところで、こうした彼女の批判は、いかに有意義なものと見えようと、彼女自身公表しなかったのだから世間の知るところとはならなかった。それゆえ、なんら社会への影響力はなかった。彼女がもっと長く生きていたなら、軍事におけるナチスや日本の科学利用、連合国の科学利用などのさまざまな事例を知り、自らの立場を公にする機会を持ったかもしれない。しかし、それもせずに他界してしまったために、せっかくの批判も日の目を見ることがなかったのである。

とはいえ、それは彼女の批判の妥当性を損なうものではない。今日の状況に照らして当てはまる点が多いからだ。私たちの時代は彼女の時代と本質的に変わってはいない。そのことを示す言葉は、たとえば現代ロシアの物理学者アルテハ（Sergei Nikolaevich Arteha）の次の文章に見つかるのである。

生徒時代や大学生の頃、私は現実について単純素朴でロマンチックなイメージを抱いていていてこんなふうに思っていた。「認識のプロセス――それはこの上なく魅力的で限りなく多様な真理探究のプロセスであり、人々は互いに助け合いながら自覚的にそして誠実にこの旅を歩んでいるのだ」「科学の進歩（これは何と美しい、人に希望を与える響きを持った言葉だろうか）――我々はこれによって人類と自然の調和に満ちた相互関係という問題をすべて解決することができるに違いない」と。しかしその後、多くの場合、科学界において語られている話題は真理の探究ではなく、資金やマスメディア、人々に影響力を行使するための各種手段へのアクセス権、また「説教台から厳かにのたまう権利」をめぐる学派間の陳腐な競争（ありふれた派閥ビジネス）であることに次第に気づき始めた。しかもこの闘争における指導原理は「目的のためには手段を選ばず」なのである。ペレストロイカ時代の頃から多くのサラリーマン研究者たちが「重要なのはうまく自分を売り込み、自分自身と自分の労働を有利なやり方で提供することだ」、そして「重要な研究とはカネが稼げる研究だ」と本気で語るようになった。このプロセスはどこの国でも科学が「儲かる職業」になり、天分に従った人々だけでなく、自信過剰な山師たちも科学界に入り込み始めた二〇世紀初頭から徐々に準備され、生じたものだと私は考えている。真理を希求する科学者の数は減少し始め、高給取りのサラリーマン研究者が途方もなく増加した。すべての自立的な科学者、研究所、団体、研究雑誌、研究組織は「我々に味方せぬ者は科学の敵だ」の原理にもとづいて自己組織化された集団によって屈服させられた。そのような（誇張抜きでの）政治闘争の結果、カネさえ貰えるなら「黒を白と言いくるめる」ことも辞さない権力者層が科学界に侵入してきた。科学ではなく、文学もどき――原理的にも検証不可能な空想非科学小説――の創作に従事する沢山の空想家たちが出現した。なぜ彼らは文学の分野で「立候補」しないのか？　多分、自分の才能に自信が持てないからだろう。それに文学の分野では、国家がお人よしのスポンサーになってくれないからだ。[32]

引用が長くなったが、それだけの価値がある発言である。シモーヌの批判と重なるところが多いだけでなく、事態がシモーヌの時代以上に悪くなっていることがわかる。

ところで、シモーヌの量子論批判のなかで見落とした点が一つある。この理論が確率論を導入し

32　Sergei Nikolaevich Arteha『物理学の根拠　量子力学』p.4 http://www.antidogma.ru/japan/arteha_book_2_japan.pdf

ていることについての彼女の見解である。確率論の導入は科学を必然性から切り離し、科学そのものが偶然性に委ねられることを意味する。[33]確率は統計学的な発想であり、統計は実用性によってのみ正当化されるので、科学が政治権力と大企業のためのものになる可能性が増大すると彼女は危惧した。

この危惧は理論的に正当なものかどうか。現代科学も現代思想も統計学を無視して成り立たない。また、具体的な生活を考える場合でも、統計を当てにしない人はいない。したがって、彼女は間違っていたと言いたくもなるのである。だがそれはともかく、物理学に確率論を導入することに反対した人にはアインシュタインもいたことを思い出そう。異なる発想からとはいえ、彼がシモーヌとこれに関して一致していたことは興味深い。

今度は彼女の技術批判を見よう。

私たちは技術の発展を喜ぶわけにはいかない。なぜなら、それは一定の人々が他の人々を支配する道具となるからだ。しかも、科学同様、先端の技術について私たちは何も知らない。「専門家」ではないからだ。しかも、専門家と呼ばれる人々ですら、自分たちの小領域以外で起こっていることについては何も知らない。[34]

こうした批判が科学技術の驚異的発展を歓迎する人々に受け入れられないことは十分予想できる。

科学とともに発達してきた技術が主役となり、科学を導く立場に転じた現代においてはなおさらである。

では、そのような深刻な事態を改善するには何をすべきだと彼女は言うのだろうか。これについての彼女の提言はかなり消極的なものに見える。「アルキメデスから今日に至るまでの道程を、彼らは一度動きを止めて、しっかり振り返ってみるべきだ」としか言っていないのだから。[35]

もちろん、そうであっても彼女の提言が無意味だったことにはならない。彼女の思想は同時代に知られることがなかったことで同時代の社会に影響力はなかったにしても、私たちの時代には意味を持つからである。彼女が三四年にわたる短い生涯を終えようとしていたその時、先進国の間では熾烈な戦争が繰り広げられていた。それらのいずれの国も、他の国に支配されないよう科学と技術の最先端を支援し、そこから最大限の利益を吸い上げることに汲々とし、アルキメデス以来の歩みを振り返る「余裕」などなかったのである。しかし、それは政治家の話であって、科学者と哲学者はそれをすべきではなかったか。

彼女が提言したように、私たちは先へ先へと進もうとするかわりに、少し立ち止まって深呼吸し、古代からの知の進展を振り返るべきではないだろうか。科学が哲学と離れ離れになって久しいが、

33　Simone Weil: Sur la science, p.142（注15参照）
34　同注33　p.144
35　同右同頁

その分離を終わらせて新しい世界観を構築すべき時が来ているのではないか。その意味では、生前は読まれなかったシモーヌ・ヴェイユ、今こそ読まれるべきだと思われる。

彼女にとっては全体主義国家が当面の敵で、そうした国家が性急に科学技術を国益のために利用することが最も危惧されることだった。その認識は正しかったが、問題は全体主義国家だけでなく、自由主義国家でも同じであったろう。自由主義を謳っていたアメリカ合衆国は最も早くに核兵器の製造を実現し、それを戦争目的で使用したではないか。

シモーヌ・ヴェイユにもそういう状況は分かっていたはずである。だからこそ、冒頭にも引いたように「お金、機械主義、代数」が現代文明の三悪だと言っているのである。全体主義国家であろうと、自由主義国家であろうと、この三悪が支配する点で変わりはないと。

現代文明は彼女の危惧した「根こそぎ状態」(déracinement)が一般化し、人類全体にそれが及んでいる状態にある。彼女は量子力学にその顕著な現れを見、警鐘を鳴らしたのである。彼女は科学が人間精神の発展と独立して発展していくとは考えなかった。人類の生み出す発見、発明は、それぞれが人類の精神状態を反映している。そうはっきりは言っていないが、そう見ていたのである。もし科学が著しく発達しているのに人類が依然として野獣のような行動を続けているのなら、それは科学そのものに大きなアンバランスがあるからだろう。そのアンバラスは是正されねばならない、と見たのである。

以上から、彼女が「代数」をどのように見ていたかがいっそうはっきりする。彼女はデカルトが代数を導入したことで科学そのものが「根」を失ったと見たのである。科学の場合、その根は芸術や詩の場合と同じく、感覚される現実世界であった。それから遊離した科学は根無し草であり、その状態が彼女の時代の社会に蔓延していると見たのだ。根無し草となった科学は必ずや暴走し、根無し草となった国々の権力者の格好の道具となる。代数から解放されない限り、人類は歩を止めてじっくり考えることはない、そう言いたかったのだ。歩を止めて深呼吸し、じっくり自らを反省できた時、私たちは再び詩を生きることができる、あるいは私たちの生を詩にすることができる。そう彼女は見たのである。

第二章　レヴィ＝ストロースにおける新しい科学

構造人類学のクロード・レヴィ＝ストロース（Claude Lévi-Strauss 1908-2009）がもたらそうとしたものは何だったのか、この問いが本稿の出発点である。彼が提唱したのは芸術や詩歌をも視野に入れた新しい科学であり、今日最も望まれる知の形であったというのがその答えである。そこにたどり着く経緯、それがこの論考の中身となる。

一　哲学と科学

レヴィ＝ストロースが人類学者であったことは誰もが知っているが、にもかかわらず多くの知識人は彼を哲学者、ないしは思想家と見なしてきた。たとえばフランスの哲学者ポール・リクール（Paul Ricoeur 1913-2005）は、『野生の思考』（La pensée sauvage 1962）を読んでその立場を「超越的主体なきカント主義」と捉えている。[1] 人類学の書を一種の哲学書として読んでいるのだ。

なるほど、レヴィ＝ストロースのいう「構造」は人類を超越するものとして捉えられており、その意味でカント主義の先験性と似ていなくはない。しかも、レヴィ＝ストロースがカントのいう「超越的主体」をまったく信じていなかったことも、彼が「師」として仰いでいたデュルケームにならって、社会を個人に対して超越するものと捉えていたところに表れている。[2] そこから彼を「超越的主体なきカント主義」者とみなすことは決して不当ではないだろう。しかし、リクールの見解はレヴィ＝ストロースが科学者であったことを忘れたものであり、そこが問題なのである。多くの科学者は意識しようとしまいと「超越的主体なきカント主義」者であるということを、忘れていたのだろう。

発達心理学の大家ジャン・ピアジェにしろ、社会科学と自然科学を架橋しようとした物理学者のイリア・プリゴジンにしろ、哲学者たちに対話を呼びかけた脳科学者のジェラルド・エデルマンにしろ、いずれもが正統的な科学者であり、多かれ少なかれ「超越的主体なきカント主義」者である。レヴィ＝ストロースも彼らと同じ精神を共有しており、その意味で科学者なのだ。彼の厳密な分析方法、人類という対象を自然の生み出した構造へと還元する態度、これは物理学者が物体に対して挑むときの態度と大きく異ならない。

そもそも構造人類学の基礎は民族学や社会学や言語学だけにあるのではない。地質学・物理学・化学、とりわけ数学に基礎を置くといってよい。そのことを十分考慮しなかったリクールは、自分

1　Paul Ricoeur : Structure et herméneutique , Le conflit des interprétations, Le Seuil, 1969, p.55
2　Emile Durkheim : Sociologie et philosophie Press Universitaires de France, 1974, p.74

の領域である哲学にレヴィ＝ストロースを引きつけ過ぎた。『野生の思考』は哲学書として読むべきではなく、科学の書として読むべきなのである。

もっとも、リクールがレヴィ＝ストロースを哲学者に数えたことには理由がないわけではない。『野生の思考』には哲学議論が含まれており、とくにその最終章は、著者と同年代の哲学者であったジャン＝ポール・サルトルへの激越な批判となっているのだ。これを読んで、彼を哲学者と判断する人がいたとして不思議はないのである。

だが、いくら哲学議論を含む章であっても、そこに展開されているのは哲学に対する科学の側からの批判である。サルトルが「未開人」の知性を評価していないことへの怒りも見つかりはするが、それ以上に、サルトルに代表される見解を一つの文化の兆候と見なす社会科学者の観点のほうが目立つ。『野生の思考』が西欧近代文明への批判であり、その文明によって追い詰められた「未開社会」の擁護の書であることに間違いはないが、彼のサルトル批判が科学の側からの哲学批判であることを見落としてはならない。彼は人類の科学の見地からサルトルの歴史哲学を、一文明を代弁するものではあっても人類全体を説明するにはきわめて不十分な見地として、批判したのである。

『悲しき熱帯』(Tristes Tropiques 1955) にせよ、他の著作にせよ、レヴィ＝ストロースの著作はつねに同じ科学的精神を表している。だからといって、そこに詩的精神がないわけではなく(むしろ横溢している)、すぐれた美術評論も見つかるのだが、彼がなにより科学者であったことが変わるわけではない。そこに見つかるのは、一人の熟練者が人類という対象を科学している姿にほかならないのである。

だが、本稿は単にレヴィ＝ストロースが科学者であったことを示そうというのではない。もう一歩進めて、彼が人類史の近現代を支配する科学というものに対して一石を投じ、新たな科学論を展開しようとしていることを示したいのである。そこでまず問題になるのは、なにが科学で、なにが科学でないのかということであろう。

彼が視野に入れていた科学とは実に広大なもので、そこには通常の科学だけでなく、神話も芸術も含まれる。私たちはそうした広大な科学を考えたことがないので、彼が語る科学をにわかに科学だとは信じられないのである。しかし、彼の著書を素直に読めば、彼が目論んだのは人文社会科学と自然科学とが出会う空間の創出であり、その空間における異なる分野の相互交流であったことが見えてくる。

二　告白の科学

レヴィ＝ストロースの著作のなかでは『悲しき熱帯』が最も文学的であると言って間違いない。実体験をもとにした自伝文学と言ってよいが、むしろ「告白文学」と呼ぶべきものであろう。自伝的エピソードを多々含み、彼が見聞した世界各地の状況を個人的な感想を含めた形で吐露しているから、ではない。そこに多くの民族誌（éthnographie）が含まれているからである。民族誌とは、彼にとって、それを記述する者の「告白」にほかならなかった。[3]

民族誌とはある民族の社会や行動様式を観察者がありのままに記述するものをいう。それがその観察者の「告白」であるとはどういうことか。民族誌をもとにして出来上がる科学が民族学であり、民族学の総合が人類学であるとするならば、この科学は告白の上に成り立っていることになる。一体、告白が科学になるとはどういうことか。

これについてはレヴィ＝ストロース自身がルソー生誕二五〇年を記念する講演「ジャン＝ジャック・ルソー　人類の諸科学の創始者」（一九六二）において説明を試みている。彼がルソーを語りつつ民族学＝人類学を語ろうとした理由は、なにより彼がルソーを敬愛していたからで、そのことは、『悲しき熱帯』の以下の文章が端的に示している。

> ルソーは同時代のどの思想家よりも民族学の精神を持っていた。見知らぬ土地へ旅したことはなかったにもかかわらず、当時として手に入る民族誌的資料を最も多く、かつ完備した形で集めていた。しかも、ヴォルテールとちがって、彼は農民たちの習慣や民衆の考え方を単に好奇の眼で捉えるのではなく、深い共感とともに見ていた。それなのに、ああ恩師ルソー、私たちの兄弟とも呼べるようなあなたに対し、私たちはなんと恩知らずであったことか。私の賛辞

があなたの偉大さに見合うことができるならば、この本の各ページを貴方に捧げたいと思います。[4]

誰についてであれ、崇拝にも近いこのような熱情の吐露を、つねに冷徹であるように見えるこの人類学者の口から聞くことは珍しい。しかしその内容を見れば、彼がルソーに認めたのは「民族学の精神」であったことがわかるのである。

告白と科学の関係については、前述のルソーに関する講演でルソーにとっての「告白」とはなんであったのかを説明しているところで述べている。彼はそれを、ルソーの『孤独な散策者の夢想』(Les rêveries du promeneur solitaire 1817) からの引用によって示しているのである。

物理学者が毎日の状態を調べるために空気を観察して記述するのと同じことを、私は自分自身についてしてみようと思う。[5]

3　« Jean-Jacques Rousseau, fondateur des science de l'homme » (1962) in Anthropologie structurale deux, Plon, 1973, p.48

4　Tristes Tropiques, Plon, 1955, p.467。

5　Les rêveries du promeneur solitaire（1817）, p.10 in https://ebooks-bnr.com/ebooks/pdf4/ rousseau_ reveries_promeneur_solitaire.pdf

つまり、ルソーにとっての告白は科学的な態度で自分自身を観察し、記述することだったというのだ。

だが、これだけでは告白が科学になることの証明にはならないだろう。ルソーの告白には確かに科学の第一歩と言えるものがあったかも知れないが、それが科学であると納得させるには不十分である。レヴィ＝ストロースの言わんとすることを納得するには、彼が言う告白が私たちの通常耳にする告白とはまったく異なるものであることを認める必要がある。いわゆる「告白」の多くは体のいい自己正当化、ナルシシズムの色濃い自己暴露と言ってよいが、彼の言う告白は、それとはほど遠いものだったのである。

では、彼の言う告白の本質はなにか？　彼によれば、民族学者が民族誌を書くときにそれは表れる。それは記述者の自己分裂、アイデンティティーの喪失によって成り立つものなのである。なるほどルソーのように自身を科学的に観察し記述するとなると、記述する自分と記述される自分とに亀裂が生じる。それを徹底させれば、自己同一性の危機に見舞われかねないのである。

> 民族誌を書くということは、観察者が観察の道具になりきることを意味し、（…）かくして、民族誌記述者の自己は観察器具となりきっている自己とは別物になってしまうのです。[6]

ルソー式告白と民族誌との共通点はここにある。そのような告白なら、たしかに科学になり得るだろう。

先にも述べたように、そのような告白は通常私たちが目にする内面暴露とはまったく異なる。ナルシシズムに由来する告白なら、どうあっても科学に到達することなどできない。一方、自己分裂とアイデンティティー喪失という危険を冒してまでなされる自己実験としての告白は、それを代償として科学となり得るのである。

民族学のフィールドワークを考えてみよう。民族学者は研究対象である異民族の集団を前にしたとき、彼らの外部に位置しながら内部の人間になろうと努める。かくして、早々に自己分裂が起こる。そのような自己分裂を代償として他者を記述しようとするとなれば、その他者はすでに自己自身とならざるを得ない。したがって、他者の記述が自己自身の記述、すなわちルソー的な意味での「告白」となるのである。

ところで、前記のルソー講演で、レヴィ＝ストロースは自分とルソーのあいだに詩人アルチュール・ランボーがいたことを示唆している。ランボーの"Je est un autre"（「私とは一人の他者である」）を"moi est un autre"と言い換えて、詩人の名を伏せたままルソーをランボーの先駆けと位置づけているのだ。主体廃棄はルソーの撒いた種であったが、それを育て上げたのはランボー、その果実を収穫したのはレヴィ＝ストロースということになる。

6　注3参照

だが、レヴィ＝ストロースの言う告白の科学性を承認したとして、それが純正な科学となるには客観性が欠けているのではないかと疑われる。いかなる告白も主観性を免れないからである。ところが、科学における主体は対象に完全に屈服し、主体性を失った空の主体となっていなくてはならない。となれば、科学者にとって真の主体とは宇宙そのものであり、自然そのものであるはずで、そこに客観的視点を保持するいかなる主体も存立し得ないのである。これを裏返せば、科学はいかなる場合でも主観性を免れないということで、告白が科学になり得ないということにはならないのである。

物理学のように物の世界を対象とするかぎり、この問題は目立たない。が、対象が人間であったり動物であったりすれば、どうしても目立ってくる。「客観知」としての自然科学は、死んだ自然を対象としないかぎり実現しない。だから、人類学を新しい科学として展開しようとするレヴィ＝ストロースが、「客観知」を前提する従来の科学に疑義を呈したとして不思議はないのである。その疑義は、前述のルソーの講演において以下の言葉となって表現されている。

人類を理解しようとする民族学者は自分自身を他者のなかの一人として位置づけなくてはなりません。しかし、それができるためには、自己自身を拒否することが必要なのです。人類を科学するにはこれしかありません。そして、この原理を発見したのがルソーなのです。そのことが長いあいだ気づかれなかったのは、デカルト式のコギトこそが「私」なのだ、という誤った信念に支配された哲学が君臨しつづけてきたからです。そのようなわけで、科学といえども、物理学ばかりに偏り、社会学も、生物学でさえも置き去りにされてきたのです。デカルトの誤りは、彼自身の内部世界が外部にある物質世界に直接通じていると思い込んだことです。この両端のあいだに社会があり、文明があり、人間たちの世界があることに、彼は気づかなかったのです。[7]

デカルト式世界観が科学を大きく歪めてしまい、科学といえば物質世界の科学という意味になってしまったことを、彼は「コギト」批判によって示している。近代科学の出発点となったコギトは、人類が社会的存在であることを捨象してしまったために、近代科学から倫理的契機を奪ってしまったというのである。前章で扱ったシモーヌ・ヴェイユの近代科学批判に通じるもので、中国の科学を研究したジョゼフ・ニーダムの科学論とも通じる。レヴィ＝ストロースが新しい科学を企図したとすれば、その科学は以上の欠陥を補うものでなくてはならなかったのである。

7　注３参照

三　歴史学と民族学

『野生の思考』の最終章がサルトルに対するレヴィ＝ストロースの批判を展開したものであることはすでに述べた。この批判はサルトル個人に宛てられたものというよりは、西欧近代文明全体に宛てられたものであって、科学的見地からの哲学批判であったとも述べたつもりである。文明世界の信念たる歴史主義への批判、人類学という新しい科学がそれとは異なる世界観に基づくものであることの宣言、そうしたものがそこに見つかる。

『野生の思考』の最終章のタイトルは「弁証法と歴史」（Histoire et dialectique）となっており、そこから推察されるように、レヴィ＝ストロースの眼目はサルトルに代表される西欧知識人の歴史観の弾劾にあった。歴史主義の批判といえば、彼とほぼ同年代のカール・ポッパーに『歴史主義の貧困』（Poverty of Historicism 1957）があり、全体主義の歴史観を科学的観点から批判したものとして知られている。レヴィ＝ストロースの場合は、「未開」を攻撃するときに「文明」が援用する「歴史」というイデオロギーの批判を主眼としており、そこがポッパーのとは異なるのである。ポッパーのは政治イデオロギーとしての歴史への批判、レヴィ＝ストロースのは文明イデオロギーとしての歴史への批判である。

レヴィ＝ストロースが、「未開人」の神話的心性を擁護しようとしてサルトルを批判していることは確かである。そのサルトルに代表される近代西欧の歴史信仰が、「非歴史的」「無時間的」な「未開心性」を蹂躙する自己中心的なものであるとサルトルを弾劾しているのである。とはいえ、それにとどまらず、歴史が人類の真実を照らし出す唯一のものであるという西欧歴史学の前提そのものへの疑義もそこでは呈している。この疑義のほうが、実はより重要なのである。

レヴィ＝ストロースによれば、歴史が人間の真実を明らかにするうえで最もすぐれた方法であるという見解は間違っている。歴史はせいぜい人類を理解するための方法の一つに過ぎず、その方法の特徴は、時間軸を空間軸に優先させて人間を見る点にある。一方、世界には同じ空間内にいくつもの異なった社会が同時的に存在し、それぞれが固有の歴史を持っている。これらを統一的な時間軸に束ねあげて一つの歴史観を構築するというのは、現実を歪めることであり、個々の社会の固有性を軽視することにほかならないのである。

彼が主張しているのは文化相対主義であり、それは民族学および人類学の大前提でもある。彼はそれをデュルケームやモース（Marcel Mauss）などに代表されるフランス社会学から、またローウィー（Robert Lowie）やボアズ（Franz Boas）などのアメリカ人類学から学んでいたのである。だが、ここで注意すべきは、彼が民族学的知を強調するに当たって、歴史を否定しようとは思わなかったことである。歴史を何よりも優先させる知的風潮に嫌気がさしていたにしても、だからといって、歴史が人類を理解するうえで価値のないものとまでは言わなかったのだ。彼が主張したのは、歴史学と民族学は補完的な関係にあるということである。歴史学が最優先され、それが歴史主義というイデオロギーを生んで民族学的視点を圧殺してしまうことに抗議はしても、歴史学を否定しようとしたわけではなかったのだ。

このような歴史学に対する態度は公正であり、申し分のないものと言えそうだが、彼はどうして歴史主義が西欧社会では優勢となるのか、その理由までも示した。

なぜ歴史が最優先されるかについては、承認はできなくても、理解することはできる。民族学がとらえる多様な社会の共存は、世界の非連続面を提示することを意味し、これでは歴史の連続性が損なわれるからである。そこで歴史としては、それらの多様性をもう一度統一的な連続性に再編しなくてはならないと考える。そうした再編成を急務とするのは、私たちが自分自身の変化における連続性を信じているからで、私たちにとっては、連続性を保証する歴史のほうが、非連続性を示す民族学より受け入れやすいのだ。[8]

つまり、人間は自分の生を連続体であると認識するのに慣れている。だから、「連続性」の認識に依拠する歴史を真実だと思い込むのだ、と。

ここで重要なのは、「連続性」と「非連続性」がともに世界の実相であるという彼の見解であろう。彼が歴史主義に反対するのは、歴史主義がこの二つのうち前者のみを肯定し、後者を否定してしまうからなのである。連続性と非連続性の共存と両者の補完性という見方は、物理学ならばボーア

(Niels Bohr 1885-1962) が採用したものである。レヴィ＝ストロースがボーアのモットー"Contraria sunt complementa"（「対立は補完する」）を知っていたかどうかは別として、それを自らのものとしていたことは確かである。

事実、その世界観は彼が若い時から持っていたものだ。『悲しき熱帯』にはそのような見解を全身で感じとったときの思い出が印象深く語られている。彼にとって、その体験は身体をもって直覚した一種の悟りのようなものだったが、これについてはのちに見ることにしよう。

先の引用でもうひとつ重要な点は、私たちが自身の存在を歴史的連続体として捉えがちなのに対し、彼が別の可能性を提示している点である。「私たちは自分自身の変化における連続性を信じている」と明言する彼は、そうした「連続性」が少しも自明ではないと言っているのだ。彼にすれば、デカルトのコギトも、サルトルの実存主義も、同じ思い込みの産物であった。私たちの自我意識を「社会的事実」（fait social）として認識するデュルケームを継承する彼にすれば、その種の思い込みは科学の眼から見て批判されるべきものだったのだ。

そうはいっても、サルトルでなくとも、人は自身を「連続的」なものととらえ、それが「非連続」なものなどとは夢にも思わないのではないか。しかし、レヴィ＝ストロースにすれば、それは現実に即した見方ではなく、一つの迷妄に過ぎなかったのである。

8　La pensée sauvage, Plon, 1962, pp.305-306

では、レヴィ＝ストロースは生物学的に人類を見、社会学的に人類の意識形成を考えた結果、そのような見解に達したと見るべきなのだろうか。おそらく、そうであろう。科学的な世界観が骨の髄まで染み込んでいた人なのである。考えてもみれば、私たちの身体にしても幾多の細胞の独立性とその結合との拮抗で成り立っている。私たちは連続体であるとも言えるが、そうでないとも言えるのだ。

四　野生の科学

『野生の思考』は科学の書であると言ったが、この書が新しい科学を提唱していることをもう少し強調したい。そこで提唱されている科学はどういう性質のものなのか。それを理解するには、まず「野生の思考」がどういう思考なのかをとらえておく必要がある。「野生の思考」とは、なにより「野生」の科学なのだ。

定義上、「野生の思考」は人類の自然状態での思考ということである。とはいえ、人類の自然状態なるものは世界中どこを探しても見出し難い。唯一それに近いと思われるのが「未開社会」の神話や儀礼に見つかる思考である。レヴィ＝ストロースはこの思考に科学的な知を認めたのである。

「野生の思考」の特質は「具象」性にあると彼はいう。感覚で捉え得る一切を知り尽くそうとする知性という意味である。抽象性を満載した近代科学とは正反対だが、世界を知り尽くそうとする点は共通する。しかも、この知性は人類の思考の基層をなす、というのである。

この思考が近代科学の思考によって圧殺されつつあることを彼は強調する。今のままでは人類はその原点を失ってしまう、と警告している。なんとなれば、人類の基本思考は「野生の思考」だからなのである。つまり、彼の言う「野生の思考」は、決して「未開」と呼ばれる人々だけのものではない。「文明人」も、その思考の原点にこの思考をもっていると見たのである。

とはいえ、「未開人」の知が人類科学の初歩的段階を示すというのではなく、正真正銘の科学だとまで言ってしまう彼の立場を理解することは容易ではない。私たちにとって、科学とはあくまでも近代科学だからだ。それがわかっていればこそ、彼は幾多の資料を集めて自説の正当性を主張する。あなたたちは「科学」という言葉の本当の意味をわかっているのですか、と。

彼はまず「未開人」の知について、この知が一部の民族学者が主張し、多くの知識人が信じているような実利主義的なものではなく、純粋に知的な関心から生まれていると強調する。[9] その知は自然界の細かく忍耐強い観察と、そこから得た結論についての慎重な吟味とによって成り立っているのだから、科学の名にふさわしいというのである。そういう科学を「具象の科学」と呼ぶ根拠は、

9　同注8 p.21

すでに述べたようにそれが自然界を整理するのに具体的データ、すなわち感覚によって捉えられるデータのみを用いるからである。近代科学なら感覚データを数式に置き換えて抽象化するところを、「野生の科学」はあくまでも個々の事象の具体性を尊重したままで世界を整理する、というのである。

これについては、すべての科学は感覚データから出発するのではないのか、と問いたくなる。どこが「未開人」の、否、「野生の科学」の特徴なのかと。これについてレヴィ＝ストロースは以下のように説明する。

フレッチャーによれば、ある土人は「聖なるものはそれぞれ然るべき場所にあらねばならない」と言ったそうだ。この言葉には深い思想が蔵されているが、ある物は然るべき場所にあることによって「聖なるもの」と見なされるのではないか、と私には思われる。もしも聖なるものが一つでも彼らの心から失われたなら、彼らの世界全体が崩れ落ちるにちがいない。[10]

つまり、「未開人」が自らの科学によって示す世界秩序は彼らにとって「聖なるもの」であり、彼らの神話的世界観と直結しているところが特徴だというのである。たしかに、近代科学にはない発想、宗教的といってよい発想が、そこにはある。

「聖なるもの」が出てくると、人はただちにそれを「非科学的」と思いがちだが、レヴィ＝ストロースは「聖なるもの」への畏敬の念こそは、人類の知性の結果ではないかと問い返すのである。宗教的世界観が科学を生み出すのではなく、科学が宗教的世界観を生み出す。レヴィ＝ストロースにとって、「初めに神ありき」ではなく、「初めに科学ありき」だったのである。

「野生の科学」が近代科学と違っている点について、彼はこの科学があらゆる事象を「決定論」(déterminisme) で説明し尽くそうとすることにあると言う。この科学はすべての事象を関連づけ、すべてを因果論に帰着させようとすると言うのだ。なるほど、私たちの俗信のなかには、ある現象を何かの兆しとして受けとる傾向があり、そこには私たちが暗黙のうちに認めている因果律がある。日本語でいう「縁起が悪い」という表現は、まさにそれを表しているのだ。

近代科学においては、自然現象と私たちの心的現象とは直接に結びつかない。心の状態がこうだから、眼前の自然現象もこうなるのだというふうには考えない。それどころか、そうした関連づけは根拠がない、として斥けるのが一般である。ところが、「未開人」の科学は心的現象と自然現象との間にはある種の相同関係があり、一方が変化すれば、たちまち他方にひびくと見る。つまり、心的現象と物理現象の間に因果律を想定するのである。

これを要するに、「未開人」の決定論はその応用範囲が全宇宙であるということだ。そんなことは近代科学からすれば「暴挙」に過ぎず、非科学的ということになるのだろうが、レヴィ＝ストロ

10　同注8 p.22

ースにすれば、決定論そのものが科学に必須な考え方なのだから、「未開人」はきわめて科学的な思考の持ち主だということになるのだ。それに関しての、彼の言葉を引こう。

彼らの呪術や儀礼に見られる厳正さを、科学の一つのあり方としての「決定論的真理」の無意識的な把握、というふうに見ることはできないだろうか。まず、決定論が無意識に把握され、実演され、そののちにそれが知られるようになり、尊重されるようになった、ということではないのか[11]？

これを強弁ととることもできるし、詭弁という人もあるだろうが、さりとて近代科学が主張する真理の妥当性があまりにも局所的で、私たちの生の指針とはなり得ないことも事実である。「未開人」の全的決定論は、近代科学とは異なり、その点で心理的安定を与え得るのである。

それに、これまで私たちが科学者にならって「迷信」と片づけてきたものの中には、将来「真理」とされる可能性がないわけではないものもある。そうした例をレヴィ＝ストロースは幾つか化学の発見のなかに見出しており[12]、将来はもっとそうした例が見つかるかも知れないことを示唆しているのである。果たして本当にそうなるのかどうかは定かでないにしても、科学がつねにある種の直観あるいは予感に導かれて発展してきたことは紛れもない事実である。ある仮説が百年後に証明されることも、決して稀ではない。

レヴィ＝ストロースは「野生」の科学が正銘の科学であることを示すために、歴史的な事実にも訴えている。人類が神話と呪術にたよっていた新石器時代に言及し、その時代の科学が農業と牧畜を可能にし、陶芸や料理法など今日の日常生活の基礎をつくったことを引き合いに出しているのである。[13] これはとりもなおさず、人類の知的革命が少なくとも二度起っており、「野生の科学」が新石器革命を、近代科学が科学革命を生み出したということである。前者を後者の未発達な段階ととらえるかわりに、二つの知は並存し、互いに支えあって人類の文明を支えてきたと見るのである。

歴史学と民族学を並置させたように、異なった時空に属する二つの科学を同じ一つの空間に並置させる方法は、レヴィ＝ストロースに一貫したものである。この並列的世界観の原点に、彼の若いときの体験があることについてもすでに言及した。今ここに、その若き日の体験を吐露した一節を『悲しき熱帯』から引こう。

私の心にいつまでも残っている思い出の中でも、ラングドックの高地での体験は特にはっきり覚えている。異なった時代に属する二つの地層が接するその線を追い求めていた時のことだ。（…）全体としてはきわめて混沌とした光景で、それだけに私にはそれに与える意味を選択で

11　同注8 p.24
12　同右
13　同右 p.27

きる状況にあった。ここではこんな作物が植えられていたのだろうとか、こんな地変があったのだろうとか、有史以前の出来事や有史以降の出来事をいろいろ思い浮かべていたのだが、そこには絶対に確かなことがひとつあって、それがほかのすべての光景を決定しているように思えた。層と層の切れ目の線は白っぽく、はっきりしないものであり、岩石のかけらもその形が見分けにくいものではあったが、それでも私が立っている乾燥しきった大地が、かつては二つの異なった時代において海であったことを示していた。(…)奇跡とはそのような発見をいうのであろう。隠れた岩の亀裂の両側には異なった種の二つの植物が並んで生えていたが、それはそれぞれが自分の生育に適した土壌を選んだ結果であった。[14]

このように、自らの身体的体験をつうじて、彼は異なる時が同じ一つの空間に共存することを学んだのである。

もちろん、そういう彼が人類学者になるためには、地質学的体験だけで十分だったわけではない。彼の知的形成においてとりわけ重要だったのは、彼自身によれば、その地質学的発想を共有しているフロイトとマルクスとの出会いだった。とくにマルクス(一八一八~八三)については、「社会科学というものが、物理学が感覚データによって成り立つものではないのと同様、歴史的事実の上に成り立つものではないこと、まずモデル理論を構築し、その理論の特性を実験室で試してみてから、それを現実に当てはめて、生起している現象を解釈するものだということ」をこの人から学んだと述べている。[15] 社会科学と物理学は扱う分野が異なるにもかかわらず、方法は一緒だと言い切っているのである。

ここでとくに興味深いのは、科学とはモデル理論に基づく現実の解釈だという論である。これは今日の物理学者にも見られる見解で、たとえば二〇世紀を代表する物理学者リチャード・ファインマンは、『物理学講義』の冒頭で以下のように述べている。

もしもなにかの天変地異ですべての科学的知識が失われそうになったとして、次世代の生き物にどうしても残しておきたい一語、少ない言葉で最も多くの情報を含むような一語があるとすれば、それはなんだろうか。私なら、「原子仮説」を選ぶだろう。すなわち、「あらゆるものは原子でできており、原子とは小さな粒子で、つねに動き続けており、近くにあれば互いに引き合うし、無理やり接近させれば互いに反発する性質がある」という一語だ。そこには世界に関する膨大な情報が含まれているのである。少しの想像力と思考力があれば、誰にでもそれはわかるだろう。[16]

14 Tristes Tropiques, pp.60-61
15 同右 p.62
16 Richard Feynman: Lectures on Physics (1963) Volume I, Chapter 1: Atoms in Motion, Introduction, Pearson, 2012

この引用の「原子仮説」(atom hypothesis) という言葉に注目したい。物質世界の基礎とされている原子の存在も、実在というよりは仮説的なものであり、それによって多くの事象が整合的に説明(=解釈)できるからこれが採用されていると言っているのである。第一級の物理学者の考え方がそうだとすれば、これまで述べてきたレヴィ=ストロースの科学論を誤ったものとは言えまい。

五　ブリコラージュ

『野生の思考』の第一章で読者にとって忘れられない一節は、おそらく著者レヴィ=ストロースが「野生の科学」と近代科学のちがいを説明しようとして「ブリコラージュ」(bricolage 器用仕事) と「エンジニアリング」を引き合いに出している箇所である。多くの人にとってブリコラージュはホビーに等しく、そこに格別な価値があると思う人は少ないが、だからこそ、彼のブリコラージュへの脚光の浴びせ方が印象に残るのである。

レヴィ=ストロースによれば、「野生の科学」を支える神話的思考は「知的ブリコラージュ」であり[17]、ブリコラージュの本質を理解すれば、この思考の本質もわかるのである。「未開人」の思考を「野生の思考」と言い換える彼は、その思考を知的ブリコラージュと定義し、そうすることで読者に「目から鱗」の経験をさせる。

　ブリコラージュとエンジニアリングのちがいは誰の眼にも明らかであろう。一方は手元にある使い古しの断片を用いて何かをこしらえる。他方は目標を立て、それに合わせた設計をし、その実現に必要な道具と材料を集め、設計通りに物を作る。だから、出来上がった品は、前者は不完全で見てくれも完璧からほど遠いが、後者は完璧で見てくれもすっきりしたものとなるのである。前者は最初から手持ちの材料と道具に制約されて自由がないのに対し、後者は考えた通りの制作ができて自由度が高い。

　このように比較すると、ブリコラージュないし神話的思考は、エンジニアリングないし近代科学に比べてはるかに遅れている、と結論したくなる。前者には現実を超えて新たな現実を創出する力がないが、後者にはそれがあり、自由という観点からすれば後者の方がずっと優っていると評価したくなるのである。しかしながら、レヴィ＝ストロースはそういう前者には後者にない利点があると言う。後者が生み出すものは無味乾燥であるのに、前者の作り出すものには人間臭があると言うのである。この人間臭は、前者が用いる材料が過去の遺物に属するものだから、そこに過去が忍び込むことによって生まれると彼は言う。[18] なるほど、使い残した古布をほころびた衣服にあてがうと、ある種の芸術的味わいが生まれもしようし、過去が現在に継承されることによる味わいも生まれる

17　同注８ p.30
18　同右 p.33

のである。

神話的思考には近代科学の思考にないもうひとつの利点がある、とレヴィ＝ストロースは付け加える。神話は全世界を説明しきるものであるがゆえに私たちの生に意味を与え得るが、近代科学にはそれができないというのである。神話のこの利点は神話が人間と自然との関係をとりもつのに対し、近代科学にはそれができないということと関連する。人は科学にロマンを感じたとしても、それが示す世界観があまりにも局所的であるがゆえに、そこから生の意味を引き出すことができないのである。先に述べた因果律の応用範囲の問題と、これはもちろん関連する。

六　記号論

『野生の思考』の第一章にはレヴィ＝ストロースの本領が発揮されている箇所がもうひとつある。彼が「野生の科学」と近代科学のちがいを記号論的に説明している箇所である。記号論はソシュール言語学に発し、それをロマン・ヤコブソンが文学テキストに応用して成果を得たが、レヴィ＝ストロースはそのヤコブソンから直接にこれを学んで、それを社会現象・文化現象に応用したのである。

記号論の利点は、科学にしろ、文学にしろ、芸術にしろ、記号の集合と見なすことができる点にある。これによって、異種の文化分野を統一的に把握できるのである。これらの分野のちがいは、それぞれを構成する記号の性質とその使用法のちがいに基づく。このように見れば、世界全てがさまざまな記号体系から成り立っていることが見えてくる。

たとえば科学の場合、それを構成する言語記号ひとつひとつは一定の概念に対応していなくてはならない。絵画ならばそれを構成する記号は言語ではなく、色とか形に対応するが、意味の規定は科学に比べてはるかに曖昧である。詩歌の場合は、それを構成する記号は言語記号にはちがいないが、それぞれの記号は厳密に概念に対応しているわけではなく、それが間接的に引き出す複数の別の概念にも同時に対応している。それゆえ、詩文における記号は、科学的言説とちがって多義的となるのである。

レヴィ＝ストロースはこうした記号論の観点から前述の神話的思考と近代科学的思考を比べ、前者の記号が半概念的であるのに対し、後者の記号が概念的であるということを明確にしている。[19] 半概念的とは隠喩的ということであり、後者すなわち近代科学は原則としてこれを排除する。その結果、近代科学の思考は普遍性を目指し、それにある程度成功するのに対し、神話的思考は本質的に詩的な思考であって、固有性と特殊性を伴った意味の創出をしつづけるのである。レヴィ＝ストロ

19　同注８ pp.32-36

ースはそういう思考も科学的であるというのだから、詩もまたひとつの科学となると考えていたことになる。

記号論はメッセージ解読を目指すものとして始まった。したがって、その究極の目的はコミュニケーションである。記号を組み合わせてメッセージを作り、そのメッセージを交換することをコミュニケーションという。となると、科学も、文学も、芸術も、つまるところコミュニケーションということになるのである。したがって、それら異なる種類のコミュニケーションを結びつけ統合するのが最終的な記号論、すなわちコミュニケーション理論となる。

『野生の思考』の最終段落、おそらくこの本で最も重要な段落を引用する。

人類の知は、長いあいだ離れ離れになっていた異なる二つの道筋を持っていた。その二つが交わるには、二〇世紀の中葉まで待たねばならなかったのである。一方はコミュニケーションという迂路をとおってようやく物理世界に到達した。他方は物理世界という迂路をとおって、つい最近になってコミュニケーションにたどり着いた。かくして、人類の知の全過程がひとつにまとまることになったのである。[20]

つまり、コミュニケーション理論のおかげで近代科学と「野生の科学」とが出会えるようになったというのである。レヴィ＝ストロースにとって、この二つの科学は長いあいだ別々に存在してきたが、ついに両者が出会うきっかけが見つかった。コミュニケーション理論、科学の分野でいうなら情報科学が、その仲介を担ったというのだ。

ついでながらいえば、レヴィ＝ストロースはここでも例の対立二項の並存を表明している。人類の思考の基礎にある神話的思考を守るために近代科学を否定するということをせず、両者の調和的並存と交流を掲げるのである。科学精神に忠実であれば、必ずや「野生の科学」の真価を認めることができるようになる。そのように言うことで、科学そのものが大きく転回していくことを、期待を込めて表明しているのである。

七　芸術

すでに見たように、レヴィ＝ストロースにとってブリコラージュとエンジニアリングは二つの極をなすものだった。この二つの中間に「芸術」があると彼は言う。[21] かくして、記号論の立場からの芸術論が、科学との対比で展開される。

20　同注8 p.321
21　同右 p.37

彼の芸術論は驚くほど創見に満ちている。『野生の思考』がのちの世代にまで読み継がれるとすれば、それはさまざまな読み解きが可能となる創見がつづくことによってである。

芸術に関する彼の創見は「構造」(structure)と「出来事」(événement)という二語で芸術を語り尽くすところに現れる。たいていの芸術論には見られない発想が、たとえば次の一節に見つかる。

芸術は科学的知識と神話的思考の中間にある。というのも、芸術家は科学者でもあればブリコラージュする人だとも言えるからだ。科学とブリコラージュは「構造」と「出来事」の関係が正反対だ。科学は「構造」から出発して「出来事」を作り出し、ブリコラージュはその逆に、「出来事」から出発して「構造」を生み出す。[22]

これをわかりやすく言えば、科学は理論仮説を立てる。その仮説は「構造」的なものに違いない。これを科学者は実地に当てはめてみる、すなわち実験する。その結果、ある「出来事」が生まれ出る。したがって、科学は「構造」から出発して「出来事」を作り出すということになる。一方のブリコラージュは、偶然手にしている材料から出発する。すなわち、「出来事」から出発する。しかし、最終的には「構造」的ななにかを作り出すのだから、「出来事」から「構造」への過程と捉えることができる。

では、芸術はというと、偶然性から出発するといっても、ブリコラージュほど与えられた条件に屈服しているわけではない。一定の計画に即して、材料を選んで進むことができるからだ。最終的には美的作品を生み出すのだから「構造」に達するといえるのだが、その「構造」が個性と新しさを持つことが義務づけられているかぎりにおいて、新たな「出来事」を生み出すとも言えるのである。[23]

それにしても、芸術を論じるのになぜ「構造」と「出来事」という言葉を用いるのか。これらの用語によって、科学も工芸も芸術も、すべて同じ土俵で論じることができるからという答えでよいだろう。だが、それだけではない。この用語法によって、科学と詩歌と芸術の共通源を見つけ出すこともできる。その共通源とは私たちが自然界に構造美を見出すときに感じる美的感動、その起点となる「美的感性」(le sens ésthétique) ということになる。[24]

人によっては、美的感性の根源を「構造」に還元する彼の美学を自然主義的にして古風だと見るかもしれない。実際、彼の芸術観は工芸品を高く評価し、あるいは生活に密着した素朴な芸術を評価するものであり、現代美術にはあまり好意的でないかに見える。だが、そういう彼の視点を古臭いと感じる人がいるなら、それはその人が芸術というものを美術館や展示会のなかのものと決めつけているからであろう。大都市の景観美ひとつをとっても、それは構造美でしかありえないのだ。

22　同注８
23　同右 p.38
24　同右 pp.25-26

まして地球全体を見れば、自然に見出される構造美がどの社会でも美学の基礎となっている。私たちの考える芸術が近代西欧の芸術観を源泉とし、それをなかなか出られないでいることを、もう少し反省すべきであろう。

八　脳科学

レヴィ＝ストロースの科学論は興味深いものだが、人によっては思弁的と見るかもしれない。さまざまな資料を駆使してその論を固めているように見えて、実際には最初に直観があって、そこから論を組み立てているように見えるのである。これについては、彼自身がマルクスを引き合いに出して答えている。先にも引いたが、「社会科学というものは、物理学が感覚データによって成り立つものではないのと同様、歴史的事実の上に成り立つものではなく、まずモデル理論を構築し、その理論の特性を実験室で試してみてから、それを現実に当てはめて、生起している現象を解釈するものだ」と言っているのである。[25] なるほど、物理学においてもまず直観があることはアインシュタインもしばしば述べていたことだ。直観からモデル理論を構築するのは科学の常道と言えるだろう。しつこいようだが、レヴィ＝ストロースの理論は思いつきではなく言語学に基礎を置き、数学と物理学、それに化学と地質学の知識を基にしている。いかに思弁的に見えようと、彼の論は科学であって、そこにいわゆる「哲学」が入り込む余地はないのである。さらに言うなら、彼の理論は今後の科学によって実証されていく性質のものである。とくに、脳科学の進歩がその鍵となると思われる。以下に示すのは最近の脳科学研究の結果だが、これをレヴィ＝ストロースが知ったら大いに納得したろうと思われる。

現代の脳科学を代表するひとりジェラルド・エデルマン（Gerald Edelman 1929-2014）は、私たちの脳は言語を習得する前はもちろん、言語を習得した後でも基本的にはメタファーで考えていると言う。その根拠はというと、以下のように説明している。

脳は選別的なシステムであって、論理によってはたらくのではなく、パターン認識によってはたらく。この認識は論理や数学のような正確さは欠けるが、広域をカバーすることを目指すものなのだ。そういうわけで、人類はまずメタファーで思考し、数理を学んだ大人においてもそれが思考の中心となる。だからこそ、想像力や創造力を発揮できるのである。人間の脳がありとあらゆる多様な事象を結びつけてメタファーを作り出すことができるのは、脳に「情報再入力変性システム」（reentrant degenerative system）があるからである。メタファーは喚起力を

25　同注16参照

持つとはいえ、検証ということができない。しかし、思考の強力な出発点であることに変わりはなく、それが論理を得て大きな思想に発展することも十分あるのだ。繰り返すが、こうしたメタファー力は、脳がパターン選別をするシステムであることから来る。[26]

エデルマンがいう「選択システム」とは、脳が感覚器官を経て受けとる膨大かつ多様な情報を選別し分類する機能を意味する。これをエデルマンは「パターン認識」と言っているが、情報間の一定の類似性を探知し、それをパターンとして認知し記憶するのである。このパターン化は類似性を基礎にしているから、すでにメタファー思考がはたらいていると彼は見る。彼のいう「メタファー」とは、類似性による複数の事象の関連づけのことなのだ。

このようなメタファー思考が可能となるのは「再入力変性システム」が脳にあるからだ、とエデルマンは言う。「再入力変性システム」とはなにかというと、簡単に言えば、脳は入力した情報を脳のあちこちの部分で共有できるように何度も同じ情報を発信し、「再入力」(reentry)するのである。その再入力のたびに脳の各部のはたらきが変化し、そのおかげで統一した情報把握が可能となってくるというわけだ。

さて、以上の過程で脳の各部が本来の機能を失って変質する。これを「変性」(degeneracy)という。情報の統御がなければ、私たちの脳は混沌とした渦に巻き込まれて何もできなくなるので、生体として自らを保持するために情報を制御し秩序づけ、統一する必要があるのだ。その統一の結果を、脳科学では「意識」（consciousness）と呼ぶ。

前記のことをわかりやすく説明するために、エデルマンは見事な比喩を用いている。

脳の再入力作業を説明するのにわかりやすいイメージを示そう。ここにわがままな四人の音楽家が集まり、弦楽四重奏をすると仮定する。それぞれが勝手なメロディーを、勝手なテンポで弾く。ただし、彼ら全員の身体は、互いに非常に細い糸で結ばれている。それによって、一人の身体の動きがすぐにも他の三人の身体に伝わる。すると、しばらくのあいだ彼らの演奏にはなんら調和も統一性もなかったのに、不思議にも、次第に調和的に、統一的になっていくのである。ジャズの即興にはこうしたことがよく起こるが、もちろん、彼らの場合は見えない糸などない。[27]

ウィットに富んだ、鮮やかな説明である。私たちの脳はそれぞれの部局が勝手に動いているはずなのだが、「再入力システム」によって各部局は「変性」し、外部からの雑多な情報を、調和と秩序をもったものにしてしまうというのだ。

26　Gerald Edelman: Second Nature, Yale University Press, 2006 pp.58-59　なお、エデルマンには本書以外の書においてもレヴィ＝ストロースへの言及はない。

27　Ibid. p.30

ところで、右のエデルマンの脳の捉え方は、脳がさまざまな部分からなり、それぞれが異なった機能を有し、勝手にはたらき得るものだという捉え方である。これをクワルテットに喩えているということは、彼が脳を一種の社会と見ているということだ。一方、レヴィ＝ストロースも社会の一例として「脳」を引き合いに出している。『悲しき熱帯』に以下の言葉が見つかる。

私という存在はたしかにある。しかし、その存在は、頭蓋骨によって守られている何万もの神経細胞の社会と、その命ずることに従ってロボットのように聞いて動く身体の休まらざる戦いの結果に過ぎない。[28]

ここで彼が身体を「ロボット」にたとえているのは、さすがの彼も脳中心主義に陥っていたことを示す。脳も身体の一部であり、たとえそれが中枢機能を果たすにしても、その機能全体が身体に負っているのである。

とはいえ、いくら脳が社会であるとしても、それが人間社会と同質のものかどうかは疑わしい。個々の脳はエデルマンの示したクワルテットのように調和的に働くかもしれないが、人間社会がそのように調和的統一的にはたらくことは奇跡に近いように思われる。この点については、人間社会を知るレヴィ＝ストロースははるかに現実的で、人類社会のあるべき姿として想定した「未開社会」が過去の遺物にすぎないことをよく知っていた。『悲しき熱帯』の最終部を染める灰色のトーンは、そのことに起因すると思われる。
もっとも、脳による意識創出が生体の外界への適応を目指すもので、そのためにその各部が協働するのだとすれば、人類社会全体が共通の外敵を持ったときには脳のように協働する可能性はある。しかし、そうであったとしても、レヴィ＝ストロース的世界観からすれば、いずれ人類は死滅する。「世界は人類なしに始まった。そして、人類なしに終わるだろう」という言葉が『悲しき熱帯』に見つかるのである。[29]
ただし、こういう言葉が見つかるからといって、レヴィ＝ストロースを悲観主義者と決めつけてはならない。なぜなら、同書には「個人が集団のなかでひとりぼっちではないように、どの社会も完全に他の社会と完全に孤立しているわけではないように、人類も宇宙のなかで孤独な存在というわけではない」という言葉も見つかるからだ。[30] こういう言葉からすると、彼には自然というものへの深い信頼があったと思われる。自然を信頼しない科学者などどこにもいないとすれば、やはり彼は正真正銘の科学者だったのだ。

28　同注４ p.479
29　同右 p.478
30　同右 p.479

九　詩と音楽

クロード・レヴィ＝ストロースは一九〇八年にブリュッセルで生まれた。両親はアルザス出身のユダヤ人で、家族は彼が生まれて間もなくパリに移ったようだ。彼が子供の頃から西洋や東洋の美術・工芸に親しむ機会があったのは、画家であった父の影響が大きかったと言ってよい。

彼が生涯にわたって「構造」にこだわったのも、早くからの美的体験の賜物かもしれない。見るものすべてに構造を見つけ出し、そこから科学的精神と美的感性を磨いていったのである。そのことを示す彼の言葉を引こう。

　ある日、草の上に寝転んでいて、タンポポの球状の穂を見ていて思ったのですが、こんなに見事に調和に満ちて、しかもとても繊細に整えられているのはどうしてなのだろう、きっと背後に法則があるにちがいない、と。偶然の積み重ねでそんなものができるわけがない、と思ったのです。[31]

ここで彼がいう「ある日」とは一九四〇年のことで、そのとき彼はドイツ国境付近のマジノー線に送られて警備に当たっていた。とはいえ、引用からわかるように国境紛争などに興味はなく、もっぱら自然の織りなす構造美に見とれていたのである。

自然界に幾何的な美を見出し、その背後にある法則に想いを馳せるのはガリレオ以来の、あるいはそれ以前からの西洋科学の伝統である。ガリレオは自然界を数学という言語で書かれたテキストと見なし、それを解読するのが科学者の務めだと見た。[32] 美的感動と科学的探究の精神が重なりあうことは、ガリレオにかぎらず多くの科学者に認められるもので、レヴィ＝ストロースも、そうした科学者の系統に属していたのである。

さて、構造美を語るとなると、音楽を度外視することはできない。音楽は構造美の典型と言えるからである。実際のところ、レヴィ＝ストロースは音楽好きで、とくにワグナーが好きだったと告白している。[33] 彼が『神話の論理』（Mythologiques）の第一巻の冒頭部分を「序曲」（ouverture）と題したのも、彼が神話と音楽をともに愛し、その二つに緊密な関係があると見たからである。

では、詩歌についてはどうか。これについては、まず彼とロマン・ヤコブソン（Roman Jakobson 1896-1982）が共同でボードレールのソネット「猫」（Les chats）の構造分析をしていることを思い出そう。彼がこの詩の分析に興味を持ったのは、詩と神話には構造的相同性があると踏んだからなのである。ボードレール詩を分析するにあたって、以下のように述べている。

31　マルシャン（Jean José Marchand）とのテレビ番組でのインタビューからの引用で、放送されたのは一九七二年七月とされている。
32　Galileo Galilei: Il Saggiatore（1623）in Stillman Drake: Discoveries and Opinions of Galileo Galilei, Anchor, 1957
33　同注４ p.435

人類学の雑誌に一九世紀フランス詩の研究論文を載せることに驚く人もあろう。理由は簡単である。言語学者と民族学者が力を合わせてボードレールのソネットを理解しようとするのは、二人がそれぞれ異なった角度から同じ一つの問題に直面しているからであり、おそらく二人の力は互いを補うものなのだ。事実、言語学者が詩を分析して取り出す構造と、民族学者が神話を分析して取り出す構造は、驚くほど似ている。[34]

神話と詩の構造的類似からさらに歩を進めて、「これらは互いを補い合うもので、一方が欠ければ他方がただちにその穴を埋めるという性質のものだ」とまで彼は言う。[35] 果たして、たった一つの詩の分析で、そこまで言えるのだろうか。

詩の構造については、ヤコブソンが多くの詩を構造分析している。他方、レヴィ＝ストロースの分析した神話の数も膨大である。したがって、二人の結論を単なる直観の産物と片づけるのは軽率であろう。それに、そもそもレヴィ＝ストロースは詩にも通じていたではないか。ランボーの詩「母音」(Voyelles) の分析もしているし、[36] アンドレ・ブルトンと美と独創性に関する意見交換もしている。[37] また、「野生の思考」からアルフレッド・ミュッセの詩の一節を思い出してもいるのだ。[38] 彼にとって、詩は神話と同じくらい親しいものだったと言ってよい。

しかし、いくら詩が好きだったとしても、それだけで詩の構造分析に挑めるだろうか。ヤコブソンの助力があったことは否定できないが、レヴィ＝ストロースにはヤコブソンに劣らぬほど詩を科学する精神があったことも事実である。構造分析が科学をも含めた一切の文化現象を科学する手立てであることを忘れてはならない。文化とは人間を人間たらしめるものであり、そこには必ずや自然の刻印としての構造と、それを認知し表現しようとする人類社会の刻印としての構造が見出されるのである。

十　レヴィ＝ブリュール

一九世紀の半ばから後半にかけて生まれたフランスの知識人のなかには、西洋以外の文化に関心を持ち、それを真剣に研究しようとした人がかなりいた。その最もよい例が著名なエジプト学者となったガストン・マスペロであり、その息子アンリは著名な中国学者となっている。そのほか、レ

34　Roman Jakobson, Claude Lévi-Strauss: “Les Chats” de Charles Baudelaire, in L'Homme tome 2, 1962, p.5
35　同右
36　Regarder écouter lire, Plon, 1993 pp.127-137
37　同注４ pp.22-23
38　同注８ p.318

ヴィ＝ストロースに深い影響を与えたフランス社会学の祖エミール・デュルケーム、その甥のマルセル・モース。この二人は「未開社会」の文化に理解を示した。また、「未開心性」の研究で世界的に有名になったリュシアン・レヴィ＝ブリュールも、同じ世代のフランス知識人なのである。これらに加え、インド哲学と仏教学で名をなしたシルヴァン・レヴィの名を挙げることもできる。

彼らの多くがユダヤ系であったことは単なる偶然か、それともなにか特別な理由があったのか。当時の東洋学者には非ユダヤ人も多くいたのだから一概に言えないことではあるが、ナポレオンの解放政策後のユダヤ人がヨーロッパ社会と同化しつつ、その社会に対してなんらかの違和感を抱いていたことも確かなようだ。[39] 彼らには西欧以外の文化を自らの内に取り込みたいという願望があって、それが非西欧文化研究につながったと見ることができるように思われる。「未開社会」が彼らのなかの「失われた時」、すなわち「失われた伝統」を暗示していたとも考えられる。

もっとも、だからといって、これを民族問題としてとらえるのは危険であろう。人は社会に同化しつつ、自らの伝統と周囲の価値観との齟齬をなんらかの形で解消したいと思う時、異社会に、異文明に、興味を持つのではないだろうか。つまり、この問題は社会における少数派の問題、と言った方がよいと思われる。

さて、レヴィ＝ストロースとの関係で言えば、前記のフランス知識人のうちでデュルケームとレヴィ＝ブリュールが重要である。二人のうちデュルケームに対しては学恩を受けたことを公言するレヴィ＝ストロースだが、[40] レヴィ＝ブリュールに対してはきわめて否定的である。『野生の思考』

にはデュルケームとモースから引き継いだ「未開社会」の分類法への詳細な分析があるが、この書が全面的にレヴィ＝ブリュールの「未開心性」論を否定するものであることは、誰の眼にも明らかなのである。

では、レヴィ＝ブリュールの説のなにが、レヴィ＝ストロースには認め難かったのか。前者の『未開社会の思惟』(Les fonctions mentales dans les sociétés inférieures 1910) の主張を要約すれば、それに対するレヴィ＝ストロースの論難も理解できると思われる。

レヴィ＝ブリュールによれば、

(一)「未開人」の思考はフレイザーやタイラーが言うような「論理的思考力の欠如」を示すものではなく、ただ単に「文明人」とは思考方式が異なるだけである。両者の思考法のちがいは個人的な原因によるのではなく、社会構造のちがいによる。

(二) 彼らの思考は抽象概念を操作するかわりに「集団表象」(représentations collectives) によってなされる。「集団表象」は社会を構成する個々の人員の感覚と情緒に影響を与え、彼らはそれをもとに思考するのである。

(三)「集団表象」は、それによって社会全体の価値観が決まってしまうほど影響力を持つ神秘的なシンボルである。彼ら「未開人」が自然を崇拝するのもこの表象があるからで、それに

39　John Cuddihy: Ordeal of Civility, Freud, Marx, Lévi-Strauss and the Jewish Struggle, Beacon Press, 1987 参照
40　« Ce que l'ethnologie doit à Durkheim » (1960) in Anthropologie structural deux, Plon, 1973, p.57-62

よって彼らは個々の事物をそれ自体として認識しつつ、同時にその背後にある神秘的な力、超自然の力を認知するのである。

（四）そういう彼らの思考には論理が入る余地もないわけではないが、論理が彼らにとって最重要となることはない。その意味で彼らの思考は「前＝論理的」(pré-logique)、と言えるのである。

（五）彼らの思考が「前＝論理的」であるというのも、彼らが論理法則に従うよりも「融即の法則」(principe de participation) に従うからである。「融即の法則」に従うかぎり、二つの異なるものが融け合い、同じ一つのものになることも可能である。彼らは個々の事物をそのものと見分ける一方で、同時に他のものと融合していると見るのである。

（六）彼らにも因果律は理解できるが、その因果律は合理的なものではなく、そこに神秘的な力が及んでいると感じている。それゆえ、合理的な人間なら世界と自己を区別するのだが、彼らは自身を世界の一部と感じ、世界との距離を認めない。

およそ以上がレヴィ＝ブリュールの見解だが、これらの中にはレヴィ＝ストロースが無意識にも受け継いでいるものがあることをまず言っておきたい。第一に、二人とも「未開人」の思考を「文明人」のそれより劣ったものだと見ていない。すなわち、二人とも文化相対論的な立場に立っており、その意味で西欧中心主義を免れているのである。レヴィ＝ブリュールはレヴィ＝ストロースより半世紀も前の人である。たとい部分的にであっても、レヴィ＝ストロースは彼の価値観を受け取っていたのである。

それにしても、レヴィ＝ストロースによって貶められたレヴィ＝ブリュールではあるが、彼と同時代の西欧知識人で彼ほどに西欧中心主義から自由であった人は稀である。その点からすれば、この人物はもっと評価されてもよいだろう。

二人がデュルケーム社会学の影響を被っている点も共通している。二人とも「社会は個人にとって超越的である」というデュルケームの見解[41]をしっかり受け継いでいるのだ。レヴィ＝ブリュールとデュルケームは同時代人。二人ともレヴィ＝ストロースの先輩である。では、どうしてこの人類学者は、後者には学恩を示しても、前者には厳しい評価を下したのか。

多くの人はレヴィ＝ブリュールの用語に気をとられてきた。この哲学者は「未開社会」を当時の通例にしたがって「劣っている社会」（sociétés inférieures）と呼んでいるのだ。しかし、その著作を読めば、「未開」に対する侮蔑的な態度を表した箇所は少しも見つからない。彼が強調したのは「未開人」と「文明社会」の思考のちがいであって、その点においては彼を徹底批判することになるレヴィ＝ストロースと、それほど異なってはいないのである。一九二八年にその著書の日本語版が出ることになった時の、レヴィ＝ブリュールが訳者山田吉彦に宛てた日本語版のための「序」の

41　同注2参照

一節を引こう。

「前＝論理的」な思惟が未開人にのみ見出されるという主張は間違っています。そのような誤解を、私はこれまでにも防ごうと試みてきました。前＝論理と論理とは、実は表裏一体なのです。二つとも同一の社会の中に共存して構造体を作り出しています。しかも、同じ一人の人間のなかでも、この二つはしばしば、否、つねに共存しているのです。[42]

レヴィ＝ストロース同様、レヴィ＝ブリュールも「未開心性」は「文明人」のなかにあると見ていたのである。

では、レヴィ＝ストロースはそういうレヴィ＝ブリュールの何が認めがたかったのか？　第一にあげるべきは、後者が「未開人」は抽象概念を持たないと主張している点である。『野生の思考』の冒頭にはいくつもの民族誌資料が並び、それらを通じて著者は「未開人」には抽象概念が豊富にあることを示している。[43]　彼はレヴィ＝ブリュールが「文明人」特有の偏見に陥っていると見たのである。

「未開人」の思考は神秘主義的であるというレヴィ＝ブリュールの解釈にも、レヴィ＝ストロースは批判の矢を向ける。この解釈を採用すれば、「未開人」は永久に合理性・科学的心性とは縁がなくなってしまう。レヴィ＝ストロースにすれば、「未開人」は合理的に考え、だからこそ科学がそこに生まれ得る。安易に「神秘主義」を導入してしまうことは、「未開人」を「普通」の人間ではないことにしてしまうことになり、これは到底採用できないと見たのだ。レヴィ＝ストロースにとって「未開人」は特別な人々ではなく、ごく当たり前の人々、否、当たり前すぎるほど当たり前の人々だったのである。

このことは、「未開人」の思惟が「神話的」であることと矛盾しない。人類はすべからく神話構築をするというのがレヴィ＝ストロースの基本主張なのである。なんとなれば、人類社会は神話なしには成り立たないからだ。言うまでもないが、「神話的」と「神秘的」はまったく違う。「神話」は人類の常態だが、「神秘」は非常態なのである。

そういうわけだから、レヴィ＝ブリュールの「融即の法則」はレヴィ＝ストロースには到底受け入れられなかった。「融即の法則」を認めるかぎり、「未開人」は合理的思考のできない存在となり、つねに神秘の森に住むことになってしまう。実際にはそんなことはまったくないというのが、アマゾンの森林に住む原住民をつぶさに観察した人類学者としての彼の見解なのである。書斎にすわって「未開人」に関する西洋人の報告を読んで「未開心性」を語る哲学者レヴィ＝ブリュールに対しての、フィールドワークを経験した者からの批判と見ることができる。

42　山田吉彦訳『未開社会の思惟』（原著Les fonctions mentales dans les sociétés inférieures）小山書店、一九四一、七頁
43　同注8 p.11

「未開人」の論理は知的でありつつ感情的でもある。(…) 彼らは当然ながら個々の事物の差異を認知するが、それでもそこに彼らより優れた性質を見出して、それと同一化しようという感情のほうがそれより上回るのである。(…) 結果、彼らの事物への関心は利害に左右されず、丁寧で、愛情に満ちたものとなるのだが、そうした感情を説明するのに、人知に関する不自然な理屈を振りまわす必要はない。「融即の法則」といった当てにならない語の発明は、形而上学の衣を着た神秘主義同様、「未開人」の思惟にはまったく当てはまらないのだ。[44]

このように言うレヴィ＝ストロースは、レヴィ＝ブリュールの指摘する「未開人」の自然に対する特別な感情を否定しているわけではない。しかし、その感情は少しも彼らの自然を科学する心と矛盾しないと確信しているのである。そのことを示すために、そうした感情が「文明世界」の科学者にも容易に見出せることを、動物学者の言葉を引いて示している。[45]「未開人」も「文明人」も科学を実現している。それを否定する『未開社会の思惟』の著者の主張は到底受け入れられない、というわけだ。

ところで、もし「文明人」と「未開人」が考え方においてまったく同じであるならば、どうしてレヴィ＝ストロースは『野生の思考』という書物を、わざわざ書いたのか？ まさにこの問いに答えるために、『野生の思考』全冊があるといえるだろう。とくにその第一章は、「未開人」の論理はどこがどのように「文明社会」でいう論理と共通し、また異なるのかを詳しく説明している。

詳細は省くが、そこでのレヴィ＝ストロースの説明が相変わらず記号論的であることは注目すべきである。アリストテレスの確立した論理も、「未開社会」の論理も、それぞれ記号システムであることに変わりはなく、ちがいがあるとすれば、それぞれのシステムで用いられる記号の性質のちがいだという趣旨である。すなわち、前者は概念記号の操作、後者はメタファー記号の操作、そこがちがうということになる。

この二つのシステムは世界中どこでも両立しており、かつ併用されている。同じ個人の中でもそうである、と彼は主張する。「未開社会」にとどまらず、私たちの文化一般にも、あるいは個人においても、この二つは両立し、併用されているというのである。なるほど、わが身を省みても、時と場合に応じてこの二つを使い分けていることがわかる。今日よく使われる表現で言えば、私たちの思考は「デジタル的」にもなれば、「アナログ的」にもなるのである。

ところで、レヴィ＝ストロースのレヴィ＝ブリュール批判はいちいちもっともであり、もはやレヴィ＝ブリュールの出る幕はなくなったとさえ思われるのだが、にもかかわらず、今日に至るまで、『野生の思考』より『未開社会の思惟』を読んだ人の方が多く、かつまた共感度も前者より後者へのほうが勝っている観がある。統計をとったわけではないから断定はできないが、『野生の思考』に共鳴した読者の多くは哲学好きか、あるいは人類学に関わる人たちであるのに対し、『未開

44　同注8 pp.52-53
45　同右 pp.53-54

社会の思惟』は哲学者だけでなく、芸術家や詩人たちも共鳴する者が多く、その影響力は『野生の思考』をはるかに凌ぐと言えそうなのである。もしそうであるなら、一体それはどうしてか？

一つには『野生の思考』を理解するには一定の科学的素養が必要であり、また記号論や情報科学の考え方を知っておく必要があるが、『未開社会の思惟』を読むにはとくにそうした知識や思考法を必要としない、というテキストの難易度が考えられる。もうひとつ考えられるのは、多くの人が世界のどこかに「未開人」がいると信じたがっているからであろう。そんなものは存在しないのだと必死になって説くレヴィ＝ストロースは、そういう彼らの夢を壊す。一方、「未開人」を神秘化するレヴィ＝ブリュールは、歓迎されつづけるのである。

さらに言うなら、レヴィ＝ストロースは民族学の現地調査を行って人間観察を至近距離で行ったにもかかわらず、非常に離れたところから人類社会を見ていた。だからこそ、記号論を用いて諸文化を見わたすことができたのである。一方のレヴィ＝ブリュールは書斎に閉じこもっていたがゆえに「未開人」という風変わりな存在を夢見ることができ、その夢のほうがレヴィ＝ストロースの冷徹な科学よりはるかに一般受けするのである。要は、どちらが科学に徹していたかということである。レヴィ＝ストロースの科学的精神は世人の夢を育むことがなく、むしろ幻滅に導くものなのである。

十一　絶対の孤独

レヴィ=ストロースがデュルケームから社会学的方法を学び、その甥のマルセル・モースから民族学を学んだことは本人が認めている。モースについては、その授業に出たわけではないが直接間接に学んでおり、その学恩についてはモースの論集『社会学と人類学』(Sociologie et anthropologie 1949)の序文に書いている。[46] とくに、デュルケームとモースの共作『未開社会の分類法』(De quelques formes primitives des classifications 1903)を高く評価しており、『野生の思考』はある意味この著作の延長線上に書かれたと言ってもよいほどだ。以下はそこに見つかるデュルケームとモースの言葉だが、同じ言葉が『野生の思考』に見つかってもおかしくない。

未開社会の分類法は「文明社会」で用いられている分類法と著しく異なるが、にもかかわらず、それは少しも奇異なものではなく、どこにもおかしなところはないのである。彼らの分類法は、間違いなく科学的分類法の原初的なものと言える。[47]

46 « Introduction à l'œuvre de Marcel Mauss » in Marcel Mauss: Sociologie et anthropologie, P.U.F. 2013

47 De quelques formes primitives de classification, p.42 in http://www.anthropomada.com/bibliotheque/DURKHEIM-Emile-et-MAUSS-Marcel-De-quelques-formes-primitives-de-classification.pdf

しかしながら、『悲しき熱帯』には自分がどのようにして民族学者となったかを語る箇所において、デュルケームやモースへの言及がほとんどない。デュルケーム社会学への忠誠が表明されている箇所はあるが[48]、それはアングロ゠アメリカの人類学の影響を受け過ぎているというフランス国内での彼に対する非難に対する弁明のために使われているだけである。とくにモースについては、彼が徹底的に批判したレヴィ゠ブリュールの名のすぐ隣りにその名が並んでいるだけで、一体どうして?と首を傾げたくなるほどだ。

レヴィ゠ストロースの学的形成におけるデュルケーム゠モース学派の影響は間違いなく大きい。だが、それなら彼とデュルケームやモースとの違いはなんだったのかと問いたくなる。彼が私たちの知るレヴィ゠ストロースとなるには新大陸を知ることが必要だった、というのが正当な答えであろう。当たり前すぎる答えではあるが、いくらデュルケーム゠モースの学恩を享受したからといって、この先輩たちはレヴィ゠ブリュールと同じくヨーロッパ以外を実際には知らず、それでいて「未開社会」を論じていたのである。レヴィ゠ストロースの独自性は、彼がフランスを超えた人、ヨーロッパを超えた人であったところから来ている。ニューヨークでヤコブソンと出会ったこと、それ以上にブラジルを生きたこと、大西洋を渡ったこと、つまりヨーロッパ以外の世界と自然を体感したこと、それが大きかったと言えるのである。

『悲しき熱帯』に見えるのは国家を超え、文化の差異を超えた一人の人間が見た地球の運命である。そのような広大な視点を得られたからこそ、彼は「人類」なるものを語ることができた。モースやデュルケームやレヴィ＝ブリュールのようにパリという大都市の、大学という制度に守られた人々には思いもよらない視点がそこにはある。彼らとレヴィ＝ストロースとの距離は、私たちが思うよりずっと大きいのである。

フランスを離れて新世界に向かったことを彼自身は後悔しただろうか？　その運命は彼自身が選んだものであり、その選択が彼にもたらした恩恵は計り知れないほど大きい。もともと身体で感じる哲学を盟友メルロー＝ポンティと共有していた彼である。[49]彼にとって新大陸の土を踏んだことは、真の意味での哲学の扉を開く鍵であったはずだ。

レヴィ＝ストロースがアマゾンの奥地でフィールドワークをしたことはもちろん貴重な体験である。だが、それ以上に大きかったのは、新大陸に行くことで、生まれ育った知的環境から遠く切り離されてしまったことではないだろうか。同化ユダヤ人の子として育った彼は、早くから自らを異邦人と感じていたかも知れない。自我の意識は社会によって決定されるとデュルケームにならって考えていた彼にとって、異邦人感覚は自我の消失をもたらし得る契機となったにちがいない。その自我の消失こそ、人が民族学者となるのに必要な条件だと彼は悟ったのである。[50]民族学、そして人

48　同注４ p.64
49　メルロー＝ポンティに捧げられた『悲しき熱帯』の序文には、この哲学者との出会いが書かれている。一方、メルロー＝ポンティにはDe Mauss à Claude Lévi-Strauss（「モースからレヴィ＝ストロースへ──La Nouvelle Revue Française, volume 7, numéro 82, 1959）という論がある。
50　同注３参照

類学が自我の消失によってなる科学であることについては、民族誌を告白と見なす彼独自の立場を述べたときに、すでに論じた。

もっとも、「故郷喪失」とか「異邦人感覚」とか、あくまでもこちら側の人間の言い草である。向こう側に行ってしまった人にすれば、それは寂しさとは無縁のものであったかも知れない。そのような寂しさのない孤独の表現が、『悲しき熱帯』第七章「日没」に結実している。[51] 長いので引用はしないが、新大陸に向かう船の上から海に沈みゆく太陽の一刻一刻を、ほとんど感情移入せずに描写している。

とはいえ、これを「描写」というのは不正確だろう。思索の断片であり、美的感動を科学することから生ずる厳しい精神の緊張の表現とでも言ったほうがより正確である。一見モネの描いた夕陽を思い浮かべさせはするが、モネには夕陽を眺める固定された陸があった。むしろ、ランボーの「見つかった　—何が?—　永遠だよ　太陽と一緒に行っちゃった海だよ」(Elle est retrouvée. Quoi? – L'Eternité. C'est la mer allée Avec le soleil)[52] に近いと言えそうである。

もっとも、レヴィ＝ストロースのベクトルがランボーのとは真逆であることも言っておきたい。すべてを自然に還元しようとし、言語を破壊しようとした特異な少年詩人とは異なり、人類学者の科学的精神は自らの詩心を科学し、観察者と被観察物の相対関係を厳正な言語において捉えようとするのである。海に沈む太陽のイメージを捉えようとして社会を超え、絶対の孤独に至ろうとするその姿勢において二人は一致するものの、選んだ道は正反対だったのだ。

ここでもう一度モースとの比較に戻れば、レヴィ＝ストロースと彼の間には深淵が広がっていたと言えそうである。モースが育てた弟子の人類学者のルイ・デュモンは、恩師モースのことを次のように述懐しているが、そこに現れるモースほどレヴィ＝ストロースから遠いものはない。

モース先生は歩きながら話したものです。そんな時は、先生が本で読んだ遠隔地の未知の人々、あるいは古代人、そうした人々の秘密が直接先生の口から出てくるような感じでした。先生が「私は食べる」「私は誓う」「私は感じる」と言う時、それは「メラネシア人は食べる」「マオリ族の首長は誓う」「プエブロ・インディアンは感じる」という意味なのでした。[53]

こんなことは、間違ってもレヴィ＝ストロースには起こり得なかった。なぜなら、彼には自己と他者の絶対的な差異が認知されており、それにもかかわらず他者と同一化しようとすれば、自己のアイデンティティーが消失される危険もよくわかっていたからだ。一方のモースは、文献上の他者との出会いで済ませていたのだから、そうした危険はなかった。自己が他者を観察する時、他者も自己を観察していると気づくこと。そして、この主体と客体の交換作用のなかからひとつの科学が

51　同注４ pp.68-75
52　"L'Eternité" in Arthur Rimbaud: Oeuvres, Pocket, 1990, p.169
53　Louis Dumont : Essai sur l'individualisme, Seuil, 1993, p.265

生み出されること、それをレヴィ＝ストロースは自らに課したのだ。物理学における相対性理論に匹敵する試み、と言っても言い過ぎにはならないだろう。

十二　ルクレティウスと仏陀

古今の思想家のうちレヴィ＝ストロースが共感できた思想家には、ルソーとマルクスのほかにルクレティウスと仏陀がいた。『悲しき熱帯』のエピグラフにはルクレティウスの『事物の本性について』（De Rerum Natura）からの引用が用いられ、また同書の末尾には仏陀の思想についての熱烈とも言えるほどの共感が示されている。

ルクレティウスからの引用は原文のラテン語で以下のように記されている。"Nec minus ergo ante hoec quant tu cecidere, cadentque"（De Rerum Natura III, 969）。これを訳せば、「それらの世代はすでに消え去り、お前もまた消え去る。そして後につづくどの世代も、必ず消え去っていくのである」。なるほど、どうしてレヴィ＝ストロースが仏陀の思想に共鳴したのかがわかる。つまるところ、レヴィ＝ストロースはこの世のすべてを「諸行無常」と観ていたのだ。

仏陀への共鳴は以下の『悲しき熱帯』の文言がはっきり示している。

私が授業で聴いた諸先生の教え、私が読んだ哲学書から学んだすべて、また私が直接に訪れたいくつもの社会から学び得たもの、そして、西洋があれほどまでに自慢する科学から学び得たすべて、これらをすべて合わせても、あの樹下で瞑想した賢者の考えから再構成された教えの断片にしか過ぎないのだ。[54]

すなわち、仏陀の思想に人類の全知が含まれているというのだ。では、そのように思うようになったのはどうしてか？　仏教に彼は何を見たのだろう。これを解く鍵は、先の引用のすぐあとに来る以下の文章に見つかる。

理解することは壊すことである。そうすることで、私たちは執着していた事物から解き放たれる。ひとつの事物についてそれをしたら、今度はほかの事物についてもする。かくして、最終的には唯一ゆるがないものの現前にたどり着き、意味と無意味の区別という私たちの出発点に戻って、それを超えるのである。[55]

54　同注4 p.475
55　同右

一見ショッキングに見える「理解することは壊すことである」は、なるほど科学の原理である。科学は物質を壊すことでついに原子に到達し、量子を考えるに至った。そのプロセスの究極の形をレヴィ＝ストロースは仏教に見たのだ。

では、仏教は究極の科学なのか？　究極の科学とは科学を超えた科学ということで、それは知を超えた知となるから、もはや知ですらない。これは正しい仏教の理解なのだろうか。以下の仏典の要約を見れば、おおむね正しいと言わざるを得ないことがわかる。

争いと悲しみと憂いと物惜みと慢心と傲慢と悪口は、愛好にもとづいて起る。愛好は欲望にもとづいて起る。欲望は「快・不快」と称するものによって起る。快と不快とは、感官による接触にもとづいて起る。感官による接触が存在しないなら、これらのものも起らないのだ。その接触は、名称と形態とによって感官が引き起こす。諸々の所有欲はこの欲求を縁として起るのだ。欲求がないときには、「わがもの」という我執もない。形態がなければ、「感官による接触」ははたらかない。（『スッタニパータ』十一、八六二―八七四の要約）[56]

なるほど仏教は、こうした分析の連続によって成り立っているのだ。

レヴィ＝ストロースがどのようにして前記のような仏教理解に達したのかは不明だが、彼が仏教を結論、あるいは解答として見ず、弁証法的プロセスとして見ていたことも重要である。

もしも悟りに到達する弁証法の最後のモメントが正しいものなら、そこに至る、あるいはそれに類似する他のモメントも正しいはずである。[57]

これは『悲しき熱帯』のなかの言葉だが、これに従えば、悟りに至るどの道程にも意味と価値があり、それゆえ知を超える途中の段階にある諸科学も、悟りに等しく価値のあるものとなるのだ。ちなみに、先に要約を示した仏典は問答形式からなっている。プラトンの対話篇が示すように、解答ではなくプロセスを重んじる科学の精神と軌を一にするものと言えるのである。仏教を「弁証法」としてとらえたのは、あながち見当外れではない。

ここで『悲しき熱帯』のエピグラフに現れるルクレティウスの無常論に戻るならば、それが仏教の無常観とともに現代科学と結びつくことは、レヴィ＝ストロースの以下の言葉が示している。

人類が地上に生息しはじめてから原子力の開発に至るまでにしてきたことといえば、生殖行為以外は、何百万もの構造物を崩壊させることだけだったと言ってよい。それらの構造物は、

56　中村元訳『ブッダのことば　―スッタニパータ―』岩波文庫　一九八四
57　同注4　P.476

ひとたび崩壊したら元には戻らないのである。（…）無論、人類は都市を建設し、土地を耕しはした。しかし、それらも結局は動きの止まった機械になるほかないのだ。（…）彼らがいくら精神的な産物を誇ろうとも、その意味は自分たちにしかわからない。そしてそれらもまた、消え去って無秩序のなかに融け込むしかないのだ。だから、文明とは、たとえ我々の宇宙の永続の夢を垣間見させてくれるものではあっても、結局は、物理学者がいうエントロピーを生み出すことしかできないのだ。

すなわち、すべてシステムはエントロピーを増大させて崩壊するという物理学的世界観が、レヴィ＝ストロースにおいてはルクレティウスおよび仏陀と結びついているのである。これを悲観的諦観と呼ぶべきだろうか。そう呼ぶ人は楽観主義者でなくてはなるまい。彼の立場は、むしろ現実主義というべきものであろう。現実主義に、楽観も、悲観もない。

十三　新しい科学

これまでレヴィ＝ストロースの科学観を見てきたが、これを「カウンター・サイエンス」と呼ぶ人もいる。[58]「カウンター」とは「反対」といった意味だが、「カウンター・サイエンス」と言った場合、「もうひとつの可能な科学」という意味合いも持つ。レヴィ＝ストロースはあくまで自身を科学者と認知していたから、「カウンター・サイエンス」はあながち間違った用語ではないだろう。

ただし、レヴィ＝ストロースが従来の科学に対するもうひとつの科学を提示しようとしたとしても、その科学によって従来の科学を否定しようとしたわけではないことは強調すべきである。その二つが並置され、相互に働きかけることでより高次の科学が生まれることを彼は望んだのである。すでに述べたように、新石器時代の科学と近代科学が共存し、自然科学と人文社会科学が補い合うことを彼は目指した。

このことを言い直せば、彼は人類文化の中で科学に特権を与えつづけたということである。なんとなれば、彼にとって人類とはホモ・サピエンス、すなわち「知る動物」「科学する動物」だったからだ。ただし、従来の科学は根本的な変質を経なくてはならないとも彼は考えていた。社会科学も人文科学も同じ土俵に立てるような、根本的な変質を科学は経なくてはならないと考えたのだ。では、そのような変質は何によって可能となるのか。宇宙に君臨する構造美に従順であることによって、と彼なら答えたであろう。この構造美への敬意と愛情が、あらゆる知の共通の土壌として彼にはあった。

58　Marcos Sacrini: L'Anthropologie comme contre-science. Une approche merleau-pontienne, in Chiasmi International 14, 2012

とはいえ、そこには未解決の問題もある。彼自身認めたように、異なる知を同じ土俵に載せるにあたって、数値化できない領域が残っているという問題だ。構造美にしても、これを分析する手法はいまだに「印象主義的」であると彼は認めている。[59] これをクリアできない限り、彼の科学は真正な科学にはなれないのである。

では、レヴィ＝ストロースがこの問題に気づいていながら、あえて己れの科学観を提示した理由は何だったのか？　不完全であっても、その不完全を未来の科学が修正してくれると信じていたからか。そうかも知れないが、それ以上に、彼の科学の方法が「まずモデル理論を構築し、その理論の特性を実験室で試してみてから、それを現実に当てはめて、生起している現象を解釈する」というものであり、そこでは「検証」が「解釈」に置き換えられていることのほうが重要であろう。彼は科学とはなにより世界の解釈だと見ていたのである。言い換えれば、検証は自然科学に必須な条件であっても、彼が提案する新しい科学では必ずしも必要ではないということだ。果たして、人はこれに納得するだろうか。

このような科学観には同意できない科学者もいるだろうが、彼の立場からすれば、「検証」とはなんのための検証なのか、と問い返したかったところだろう。「検証」は「事実」という概念とペアになっているが、その「事実」とは一体何なのか、それを考え直すべきだと言いたかったはずである。

ところで、レヴィ＝ストロースの文章は明快であるにもかかわらず、言っていることを理解するのが難しいと感じられる場合がある。一つには彼の文章に自然科学や数学の用語が多いからである。たとえば、人間社会の現象を語るのに、彼は「エントロピー」という自然科学用語を用いるのだが、この語の意味を知らない者にとっては単なる文飾に見えてしまい、意味が不鮮明なままとなる恐れがある。

この語の意味を調べてみればそれは熱力学の用語であり、あるシステムが外部のシステムとの接触をもたない場合、不可逆的に無秩序に向かうもので、その無秩序の度合いを「エントロピー」と呼んでいるのだとわかる。すなわち、エントロピーが高ければ高いほど秩序が崩壊しているということで、あるシステムが孤立しつづければ、それだけエントロピーが高くなるのである。この熱力学の用語はたとえば情報理論やシステム工学で用いられており、社会をあるシステムと見た場合、外部からの情報を遮断すればエントロピーが増大し、無秩序になると判断される。レヴィ＝ストロースはその意味でこの語を用いているのであって、これを単なる文飾と見るべきではないのである。

そもそもメタファーは、人間の脳が言語を習得する前から用いているとされるものである。ということは、概念的言語によって成り立つ自然科学や数学においても、メタファーが土台にあるということだ。そうなると、エントロピーという科学用語も、それを用いて説明できる事象が自然科学の対象に限られる必要はないことになる。詩的言語と科学的言語を結ぶものは、依然としてメタフ

59　同注８ p.85

アーなのである。

以上、長々とレヴィ＝ストロースの提唱した新しい科学について考察してきたが、彼が目指したものが「詩と科学」の結合であり、自然科学と人文および社会科学との総合であったことが少しは理解できるようになったかと思う。すべてを解く鍵は情報科学であり、コミュニケーション論であり、記号論である。これらによって、彼は人類の多様な社会と文化とを、それぞれの個性を看過することなく全貌できる地平を獲得したと言えるのである。

第三章　寺田寅彦における俳諧と物理学

寺田寅彦は俳諧と物理学の両方にまたがった人であった。そのような科学者は日本中、否、世界中を見渡してもそう多くない。本稿はその点に絞って進めていく。

俳諧と物理学にまたがるこの日本人は、多くの随筆を書いた。それらの随筆は彼の中でどういう位置付けをもっていたのか。本稿はこの問いにも答えを出すつもりである。

寺田は物理学と俳諧のあいだを往復しつづけた。詩歌と科学を総合する道を模索しつつ、そこへ性急に至ろうとせず、両者のあいだを行ったり来たりするほうを好んだ。その往復運動を捉えることこそ、本稿の真の目的である。

一　科学随筆

寺田寅彦（1878-1935）といえばなによりも随筆である。彼の随筆はそれが書かれた当時から今日に至るまで、かなり多くの人に読まれてきた。そのうちのいくつかは学校教科書に載り、推薦図書にもなっている。言語が明快で、難しい内容も一般読者に開かれた書き方になっているからである。

彼の随筆は科学についてのものが多いが、知識を世間に広めるために書かれたわけではない。科学者はどのように自然を捉えるのか、それをわかりやすく示しているのである。ところが、そういうほうがかえって将来科学者になろうという人には適している。とはいえ、科学に興味がない読者にも十分楽しめる読み物になっている。

書き方が平板すぎて面白くないと思う人もいるようだ。だが、これほどよく考えられた文章も少ない。本人の意図がそこにあったかどうかはわからないが、広い意味での哲学がそこにはある。彼の文章は、なにより考えることの楽しさを味わせてくれる。

随筆であって、研究論文でなかったところに意味がある。おそらく寺田の好んだ俳諧連句と関係するにちがいない。随筆と俳諧詩、この関係は文学史的にも興味深い。

寺田随筆のテーマの多くは科学だといっても、私たちが日常目にする現象が中心である。それだけに科学者がどのように現象を見、どのようにそこから仮説を引き出すのか、そのプロセスがわかるのである。科学的にものを見るとはこういうことか、と読者は眼を開かされる。

科学についての啓蒙書は多くあるが、科学者を特別な人間とし、彼らの発見を格別なものとして持ち上げるものが多い。それはそれでスリリングな読み物にはなるが、一般読者を真の意味で科学に近づけはしない。そうした本は、えてして科学という新宗教の宣伝になりがちである。

一方、寺田の随筆は、科学においては結果よりプロセスのほうが大事だということを教えてくれる。題材の多くが日常生活に密着しているため、抽象的思弁に陥らず、私たちを宙に舞上がらせることもない。地に足をつけて頭をめぐらすことの大切さ、それを教えてくれる。

彼の随筆を読むと、科学は私たちの日常経験から生まれ出るもので、そこから離れてはいけないと教えられる。たとえば旅行先で火山に出会ったら、その火口付近まで登っていき、それを囲む岩石を観察し、そこから地球史を読み解く。あるいは、金平糖を食べながらどうしてその形状がいつも幾何学的になるのか、その原因を考える。寺田の随筆のこのような展開は、繰り返し読んでいるうちに知らずわが身に染み込んでくる。科学がいつしか自分のものとなるのだ。

日常体験と結びついた彼の科学は科学として珍しいのか、というとそうでもない。科学者も十人十色ではあるが、たとえば現代物理学の代表的存在のファインマン（Richard Feynman 1918-88）を例にとると、彼は若い物理研究者たちが自分たちの持っている知識を眼前の現象と結びつけずにいることに落胆している（Surely You are Joking, Mr.Feynman, 1985　邦題『ご冗談でしょう、ファインマンさん』）。科学の専門家になろうとしている若輩が日常の現象から乖離しているのでは将来がおぼつかない。そういう危惧が見つかるのである。

優れた科学者は日常眼にするいかなる現象をも科学的理論と結びつけて理解しようとする。それがうまくいかないと、その理論には欠陥があると思い、見直そうとする。日常眼にする世界から少しでも離れようとしなかった寺田のあり方は、科学者としてきわめて正常であり、正統的であったと言える。

さて、日常経験から離れない科学を求めつづけた寺田であるが、以下の引用が示すように、将来の科学を展望する哲学的思索もしばしば見られる。彼の根底にある世界観が覗き、なるほどそういう思想を持っていたのかと感嘆させられる文章も多々残している。

物質と生命の間に橋のかかるのはまだいつの事かわからない。生物学者や遺伝学者は生命を切り砕いて細胞の中へ追い込んだ。そしてさらにその中に踏み込んで染色体の内部に親と子の生命の連鎖をつかもうとして骨を折っている。物理学者や化学者は物質を摩り砕いて原子の内部に運転する電子の系統を探っている。そうして同一物質の原子の中にある或る「個性」の胚子を認めんとしているものもある。化学的の分析と合成は次第に精微をきわめて驚くべき複雑な分子や膠質粒が試験管の中で自由にされている。最も複雑な分子と細胞内の微粒との距離ははなはだ近そうに見える。しかしその距離は全く吾人現在の知識で想像し得られないものである。山の両側から掘って行くトンネルがだんだん互いに近づいて最後のつるはしの一撃でぽこりと相通ずるような日がいつ来るか全く見当がつかない。あるいはそういう日は来ないかもしれない。しかし科学者の多くはそれを目あてに不休の努力を続けている。もしそれが成効して生命の物理的説明がついたらどうであろう。

科学というものを知らずに毛ぎらいする人はそういう日をのろうかもしれない。しかし生命の不思議がほんとうに味わわれるのはその日からであろう。生命の物理的説明とは生命を抹殺する事ではなくて、逆に「物質の中に瀰漫する生命」を発見する事でなければならない。物質と生命をただそのままに祭壇の上に並べ飾って賛美するのもいいかもしれない。それはちょうど人生の表層に浮き上がった現象をそのままに遠くからながめて甘く美しいロマンスに酔おうとするようなものである。

これから先の多くの人間がそれに満足ができるものであろうか。

私は生命の物質的説明という事からほんとうの宗教もほんとうの芸術も生まれて来なければならないような気がする。ほんとうの神秘を見つけるにはあらゆる贋物を破棄しなくてはならないという気がする。（春六題　一九二一[1]）

これを見ればわかるように、寺田にとって科学は自然界を理解する一つの手立てであり、視点であって、それ以上ではなかった。したがって、科学が宗教を否定するとか、共存できないとか、そういうことはあり得なかったのである。

とはいえ、科学的なものの見方が現代においては不可欠だということも彼は主張している。「これから先の多くの人間がそれ（＝宗教的あるいは文学的な自然観）に満足ができるものであろうか」と疑問を投げかけ、最後に「生命の物質的説明という事からほんとうの宗教もほんとうの芸術も生まれて来なければならない」と述べているからだ。これすなわち、現代人は科学的な見方をもつ必要があり、それを通過した上でより高次の知性なり感性を構築していかなくてはならないということである。日常生活の科学に明け暮れしていたかに見える寺田だが、深い哲学的知性を蔵していたことは確かなのである。

先の引用文から読み取れるもう一つは、世界には物質にまで霊魂を認める心性があるが、そうした心性をやみくもに否定すべきではなく、むしろそれを自然科学的に立証できる日が来るのを待とうではないかという姿勢である。「物質と生命の間に橋のかかるのはまだいつの事かわからない」は、そういうことを言っているのである。

彼のこうした態度はそれこそ科学的というべきもので、『生命とはなにか』（What Is Life? The Physical Aspect of the Living Cell 1944）を書いた量子物理学者シュレディンガー（Erwin Schrödinger 1887-1961）に通じる。シュレディンガーは右に引用した寺田の文章の二二年後、以下のように述べている。

> 現在の物理学や化学で生命の出来事を説明することはまったくできない。しかし、だからといって、科学には生命を説明することなどできっこないという理由はどこにもないのだ。[2]

1　『寺田寅彦全集・２９０作品⇒１冊』（Kindle）41634－41648/52797

2　Erwin Schrödinger: What is Life, Cambridge University Press, 2012, p.2

こうした考え方は正論にはちがいない。が、多くの人が容易についていけるものではない。そのことをよく知っていた寺田は、そういう人たちでさえもやがて「物質と生命をただそのままに祭壇の上に並べ飾って賛美する」だけでは満足できなくなる、科学的なものの見方が彼らにも浸透してくる、と見たのである。つまり、科学的な見方とそうでない見方がどこかで和解する時が来る、そう見ていた。そしてそれは、彼のなかでは物理学と俳諧詩とが一つになることを意味したと思われるのである。

寺田の俳諧論についてはのちに見ることにして、彼と同じような科学観を人類学において示したレヴィ＝ストロース（Claude Lévi-Strauss 1908-2009）に言及しておこう。前章で詳しく論じたが、その見解は主著『野生の思考』（La pensée sauvage 1962）に端的に表れている。この書物によれば、最先端の科学だけが「野生の思考」という「原始的」な世界観の諸原理を評価し、復権できるのである。[3] そこでいう「最先端の科学」とは具体的には情報科学のことを指す。レヴィ＝ストロースは「情報」という概念を導入することで、科学と神話、科学と文学、科学と詩歌とがひとつに結ばれ得ることを示したのだ。寺田の時代には情報科学はまだよく知られていなかったが、彼がそれを知っていたら、レヴィ＝ストロースを歓迎したことだろう。

先の引用が示すように、寺田は科学の将来を見越したヴィジョンを持つことができた。どうしてそれが彼に可能だったのか。おそらく彼が日本という科学的後進国に育ったことに因る。後進国の科学者のとる態度はおよそ二つ。一つは何が何でも先進国に追いつこうとして先進国の科学に追随し、伝統を切り捨てる態度。もう一つは、自らの文化的伝統を省みつつ先進国の科学を吸収し、先進国にはない、自らの伝統と矛盾しないような科学を育てようとする態度である。寺田の場合、まちがいなく後者であった。彼の科学に独自性があるとすれば、その独自性はそこに起因する。

二　俳諧

寺田寅彦の随筆を読めば、彼が科学者であったことは誰にでもわかる。科学に関する文章が多いだけでなく、いくつもの科学的発見の内容に深く立ち入っているからである。しかし、彼が物理学者であったことは必ずしもわからない。内容が多岐にわたっているからで、生物の話もあれば、天体の話もあり、地質の話もあれば、気象の話もあるのだ。

もちろん、注意深く読めば、彼が物理学者だったこともわかる。しかも、専門馬鹿とはほど遠い、自然学全般に目配りのきく正真正銘の科学者であったことが見えてくるのである。だが、彼が実際どのような研究をしていたのかとなると、随筆からではわからない。二〇〇以上にものぼる、多く

3　Claude Lévi-Strauss : La pensée sauvage, Pocket, p.321

は英語で書かれた彼の科学論文を読まないかぎり、その内容はわからない。

彼の俳諧詩人としての面についても同様である。俳論を多く書いているのでその方面に詳しい人だったことはわかっても、実作については『全集』をくまなく調べなくてはわからない。一体、彼はどんな詩人で、どのような作品を生み出したのか。

彼の俳論にしても、まともに読まれることは滅多にない。したがって、俳諧と物理学とが彼の中でどう通じ合っていたかとなると、ほとんどの人にはわからない。これに着目する研究者もないわけではないが、[4]十分その関係が解明されているというわけではない。

寺田の俳諧詩人としての側面が知られていない理由は、一つには彼の制作がもっぱら連句にあったからである。連句というと今日それを知る人が少なく、近代になってつくられた連句など、誰も顧みないと言ってよい。大半の人は、俳句は知っていても連句は知らない。

彼が同時代人の多くのように俳句をものしていたなら、その名はもっと知れわたっていたかも知れない。しかし、そうするかわりに、彼は芭蕉の俳諧を追求し、親しかった山根東洋城にならって連句を採ったのである。俳句と連句のちがいは、俳句が一人で作れるのに対して連句が複数の人間の共同制作であるというものである。近代において連句が廃れたのは、数人が集まって句を連ねていく遊びの精神が衰退したからである。

連句も、俳句も、ともに俳諧の産物である。しかし、近代になると後者が生き残り、前者は廃れ、それとともに、その根底にあった俳諧精神も忘れられていく。もともと俳諧は連句と共にあり、俳句は連句から派生したものであるから、連句が廃れたことは俳諧精神の忘却を意味したのである。

俳諧はひとつの美学といってよい。日本の伝統美学は「古今集」以来の和歌の美学であるが、俳諧はこれを踏襲しつつ、これに対して距離をとり、これを茶化す方向で発展した。美学における一種の犬儒主義（＝シニシズム）と言ってよい。

この美学が生まれたのは一六世紀後半で、一七世紀に隆盛を誇り、一八世紀になって一般に広がった。江戸文化の特徴である脱貴族性が詩歌の世界に及んだもの、それが俳諧である。

連句はこの俳諧精神の文芸における端的な現れで、伝統美学のなかで生まれた連歌の形式を受け継ぎはしたものの、連歌を俳諧精神でひねったところが特徴となっている。一定の規則に従って句を並べていく共同制作で、一種の知的ゲームといってよい。このゲームの華は、次から次へと詠まれる句によって世界そのものが展開していくところにある。したがって、最終的に出来上がった作品が重要というわけでは、必ずしもない。

一般に共同制作というと、最終的に何が出来上がるのかということに眼が行きがちだ。しかし、連句ではゲームに参加して次から次へと句をつないでいくことを楽しむのが主であって、全体としての結果はさほど重要ではない。もっとも、好き勝手に展開して全体の調和を乱すのは邪道である。最初の句、すなわち発句の示した世界を壊さず、しかしただ受け入れてつづけるのでもなく、時に

4　たとえば、小宮彰『論文集－寺田寅彦・その他』（花書院、二〇一八）、永橋禎子「物理学者・寺田寅彦の連句」（『稿本近代文学』37　二〇一二）など。

思い切った展開を示すことも望まれるという高度なゲームなのである。

対立的な句を挟みこむことも、このゲームでは歓迎される。だが、それをうまく処理して調和的解決を見つけ出す工夫も必要とされる。これがうまくできないと、よい連句とはならない。

一方の俳句は連句の最初の句、すなわち発句に出発した。発句が素晴らしい出来だった場合、それ自体が独立した句として賞味されるようになり、その結果、連句というゲームから独立した単独作品としての俳句が生まれた。それが日本社会の近代化にともなって勢いを増し、近代俳句となったのである。

近代において俳句が人気を増し連句が廃れたのは、簡単に言えば、共同体精神の崩壊による。近代日本人は何人かで集まって句を作って一緒に遊び、深いレベルでのコミュニケーションを楽しむという機会を求めなくなったのだ。西洋近代の文学の影響もあって、詩歌たるもの個人の独自性の発揮でなくてはならないという思想が文芸世界に流布した。結果、自由詩に走る者、俳句にこだわる者が数を増し、連句を遊ぶ者は減少した。

そういう状況のなかで、物理学を修め、近代西欧の文化に多大な興味を抱いた寺田が、どうして連句にこだわったのか。懐旧の情からでなかったことは、彼の俳論を読めばわかる。彼の俳論は連句の将来性、未来性を多く語っているのだ。

寺田という人間は西洋近代の文明を賞賛し、これを吸収しようとした一方で、それだけでは足りないと直感し、その足りないものが俳諧にあると見て俳諧の精髄たる連句の世界に参入した人と見るのがよい。彼一流の精神のバランスのとり方、そう言ってよい。
寺田にとって俳諧とはなんだったのかを知るために、彼の俳論を見よう。

日本人は西洋人のように自然と人間とを別々に切り離して対立させるという言わば物質科学的の態度をとる代わりに、人間と自然とをいっしょにしてそれを一つの全機的な有機体と見ようとする傾向を多分にもっているように見える。少し言葉を変えて言ってみれば、西洋人は自然というものを道具か品物かのように心えているのに対して、日本人は自然を自分に親しい兄弟かあるいはむしろ自分のからだの一部のように思っているとも言われる。また別の言い方をすれば西洋人は自然を征服しようとしているが、従来の日本人は自然に同化し、順応しようとして来たとも言われなくはない。（…）この自然観の相違が一方では科学を発達させ、他方では俳句というきわめて特異な詩を発達させたとも言われなくはない。これは一見はなはだしく奇抜な対比のように聞こえるであろうが、しかし自分が以下に述べんとする諸点を正当に理解される読者にとってはこうした一見奇怪な見方が決して奇怪でないことを了解されるであろうと思われる。（「俳句の精神」一九三五）[5]

5　同注2、38900－38912/52797

引用した文章の表題が「俳句の精神」となっているのは、寺田が同時代の読者の常識に合わせた結果であって、内容を読めば「俳句」の源流である「俳諧の精神」についての論であることがわかる。「俳句」という語で、連句を含めた俳諧全体を表したのである。

右の引用で寺田が言いたかったのは、俳諧は日本人の自然観の表現であり、西洋人の自然観の表現である科学に匹敵するものだということである。俳諧と科学を対置することを意外に思う人が多いだろうことは彼自身承知しており、「これは一見はなはだしく奇抜な対比のように聞こえるであろう」と断っている。

引用における西洋と日本の自然観の比較は大雑把にすぎると思う人も多々あるだろう。しかし、およそのところでは承認できる論ではないだろうか。だが、それ以上に大切なのは、俳諧を科学に匹敵するものとする寺田独自の見解である。直観でそう言っているのではなく、彼なりの根拠があったにちがいない。たとい、多くの人がこれを読んで面食らい、俳諧に科学ほどの普遍性があるのだろうかといぶかしく思ってしまうにしても。

右の寺田の論は、俳諧を知らない読者には納得しがたいかも知れない。一方、彼の言う西洋の科学にしても、これを歴史的に理解しないかぎり、決してわかりやすいとは言えない。今ここに、彼が言わんとしたところを解釈してみることにする。

西洋の科学の源流は古代ギリシャである。古代ギリシャは幾何学が発達し、この幾何学をもって自然を理解するという方式が確立された。それを引き継いで近代科学が生まれ、西洋人は自分たちに見える自然を数学的に表現するようになった。これは一般的に知られていることであり、寺田もそのように理解していたはずである。一方の俳諧の源流は「古今集」以来の和歌である。和歌は四季折々の自然の風物をテーマとし、それに心を託し、日常の言葉で表現するものである。その意味において、和歌から俳諧へと流れる精神は、大きく変わることなく日本人の自然観の表現となっている。

では、そのような文芸の伝統を科学に匹敵するものと言えるのかといえば、和歌が何百年もかけて洗練を重ね、ついに俳諧連句となったその道程はひとつの学であり、修練であると言ってよいのである。したがって、そこで鍛えられた自然観を西洋の科学に匹敵するものだと言ってもおかしくない。寺田の比較は、一見大胆に見えて、それなりの根拠に基づいているのだ。

では、俳諧の源流である「古今集」（九〇五）に現れた自然観とはいかなるものだったか。それを端的に表しているのが仮名序の冒頭である。

やまとうたは、人のこゝろをたねとして、よろづのことのはとぞなれりける。よの中にあるひとことわざしげきものなれば、心におもふ事を、みるものきくものにつけていひいだせるなり。はなになくうぐひす、みづにすむかはづのこゑをきけば、いきとしいけるものいづれかうたをよまざりける。ちからをもいれずしてあめつちをうごかし、めに見えぬおにかみをもあはれとおもはせ、をとこをむなのなかをもやはらげ、たけきものゝふのこゝろをもなぐさむるはうたなり。[6]

「やまとうた」(＝和歌)は「人のこゝろ」を種とし、それを言葉にしたものだと述べた最初の一文は、「やまと」(＝日本)を意識して書かれたものである。その対極に中国の漢詩が想定されていたことは明白だ。和歌とは「心におもふ事を、みるものきくものにつけていひいだせる」ものだとつづく。つまり、心に思うことを「みるものきくもの」につけて表現する、すなわち事物を介して間接的に表現するのが和歌だと言っているのである。

人も知るように、和歌の場合「花鳥風月」を題材とし、それを歌い込むことで心を表現する。したがって、ここでいう「みるものきくもの」は自然の風物である。その風物であるが、「古今集」は四季に合わせてこれを分類している。つまり、自然界を季節に合わせてコード化しているのである。このようにして出来た和歌の自然観が伝統となり、それが俳諧に及んだ。俳諧は伝来の和歌を脱構築したものではあるが、それが出来たのは和歌の精神をしっかり受け継いでいたからなのだ。

ところで、先の「古今集」仮名序の引用できわめて面白いのは、「はなになくうぐひす、みづにすむかはづのこゑをきけば、いきとしいけるものいづれかうたをよまざりける」ではないだろうか。歌というものが人間の業であるだけでなく、全生物のものだと言っているのである。この一文によって、和歌を含めて歌全部が自然界の業であり、人間は自然界の一部として歌を詠んでいるに過ぎないという汎ポイエーシス論が姿をあらわす。これは西洋において数学が人間を超えた業であり、伝統的な科学者は数学を自然に属しているものと見たのと面白い対称をなすのである。なるほどそういうことであれば、寺田が和歌とそれを受けた俳諧とを日本的自然観の代表とし、これを西洋の科学に匹敵するものとしたことの意味がわかるのである。

三　連句

寺田寅彦が物理学という西欧近代の学問を身につける一方で俳諧連句をつづけたということは、西欧文明と日本古来の伝統とを併せ持とうとしたことを意味する。その二つを持つことで、彼は急速な近代化によって不安定になっていた自身の文化的アイデンティティーを安定させようとしたのかもしれない。あるいはもっと積極的に、その両方を持つことで、均衡のとれた、より広い世界観を獲得できると判断したのかもしれない。

というのも、文化の二刀流はある意味で日本の伝統である。一例として、仏教が日本に根づくに当たって日本人は神仏習合という方策を採り、土着の宗教を捨てずに外来の宗教を摂取した。寺田

6　佐伯梅友校注『古今和歌集』岩波書店、一九九六、九頁

の場合、もっと直接に、明治日本において二刀流のすすめを説いた福澤諭吉の影響を受けていたのかも知れない。

福澤についての言及は寺田の随筆には見えないが、一八七八年生まれの彼が福澤思想に影響されなかったとは考えにくい。万が一その著作を読んでいなかったとしても、およそ科学を学ぼうという当時の若者で、福澤精神に鼓舞されなかった者はいないであろう。『学問のすゝめ』は実用学問の「すゝめ」というふうに誤解されているが、「科学のすゝめ」（一八七二－七六）にほかならない。「実学」とは、抽象的な理論に傾いていた儒学に対抗する実験と実証を基礎とする西洋科学のことを指していたのである。

福澤は『文明論之概略』（一八七五）の緒言ではっきりこう言っている。近代日本人は西欧文明と東洋の伝統に引き裂かれた状態にある。「一身にして二生を経る」存在だと。しかし、そこで彼は居直る。与えられた状況を苦悩の種とするかわりに、このような幸運は滅多にあるものでないと開き直り、この機会を利用して東西文明の比較をし、より広い世界観を獲得しようではないか、と。それができれば、西洋しか知らない西洋人より優位に立てる、そう同胞諸氏を鼓舞したのである。[7]

寺田の生涯を見ると、いかにもこの精神を受け継いでいたように見える。俳諧の精神を述べるのに、これが西洋の科学に匹敵するものだというその比較論的発想こそ、福澤ゆずりといえるのである。「俳句」という近代化された詩形式でなく、「連句」という伝統的形式を選んだのも、この視点を持ったればこそであろう。物理学と連句を同時に手がけることで、彼なりに「一身二生」を全うしようとしたのだ。

ところで、寺田があえて連句を選んだことの背後に俳諧精神へのこだわりがあったことはすでに述べたが、そこには科学者としての一面も働いていたと見たい。連句も、科学も、決して一人遊びでないところが共通するのである。俳句においては、たとえ何人かで集まって俳句の会を催したところで、所詮は個人ゲームである。個々の作品はその作者個人に属するのであり、連句のような共同制作とはならない。科学者であった寺田は、たとえ研究論文に己れ一人の名を冠することがあろうとも、そこに至るには他の研究者や弟子との共同作業を要した。共同作業である連句は、その点からも親しみが持てたであろう。

もう一つ付け加えれば、彼は連句の展開の偶発性に惹かれたと考えられる。というのも、連句の展開は物理学のそれとは対照的で、先が予測不可能で、さながら人生の、あるいは生命世界の展開に似ているからである。言い換えれば、連句には物理学に必須の論理的展開がないのだ。これを裏返せば、物理学では足りない何かが連句にあったということである。それが彼を連句の世界に引きつけたのであろう。

物理学はどのような小さな事例を積み重ねたにしても、最終的には普遍的な法則にたどり着き、論理的に一貫した世界観を構築しようとする。一方、連句の方はあらかじめ到達したい目標点があ

7　『福沢諭吉選集・第四巻』（岩波書店、一九八一）八－九頁

るわけではなく、ある意味行き当たりばったりなのだ。共同制作といっても、あらかじめ計画を立ててそこから外れないようにするということがない。出来上がった作品に、発句からの一貫したストーリーを求めることがないのである。否、もともと「ストーリー」という概念がない。

連句で重要なのは、発句で方向付けられた雰囲気を時空を巡らせつつ徐々に変えていくことだ。その変化は急過ぎてはいけないが、それでもある種の大胆さを必要とする。方向を定めず、目的地も持たないこのゲーム、科学というもう一つのゲームとたしかに好対照をなす。

人によっては、そんなふうでは芸術作品になり得ないのではないかと疑うだろう。しかし、連句においては作品を完成させることが重要なのではなく、歌づくりに参加し、次から次へと現れる新たな景色を満喫することのほうが重要なのである。作品が出来上がるというのは静的発想である、完成を求めるのだから。しかし、連句は動くものであり、その動きを感じ取ることが重要なのである。この動きが美的感動を生むとすれば、それはそれで立派な芸術であろう。

スポーツ競技、たとえば野球にはルールがあるが、その展開は一つのプレイが次のプレイにつながるという意味での連続性はあっても、結果がどうなるかは誰にも予想できない。連句の展開にもそうした偶然性が伴うのであり、そこが面白いのである。もっとも、スポーツと連句はちがいもあり、一番のちがいはスポーツではゲームの結果である勝敗が重要となるのに、連句にはそれがないことである。スポーツ競技も連句も展開を楽しむ点では同じだが、連句のほうは勝敗によって参加者の差別化をはかるということがないのである。参加者が全員満足出来る時空の演出、これが連句の精髄である。

連句の展開に伴う偶然性は生命世界の流れに類似している。ノーベル賞受賞の生化学者モノー(Jacques Monod 1910-76)は、その著書『偶然と必然』(Le Hasard et la nécessité, 1970)において、生命は計画性のないもので、一定の目標、到達点を持たないと言っている。スポーツ競技の場合は勝ち負けをつけることが目標だから、偶然を必然に転化させようとする試みというふうに理解できるが、連句となるとそのような目論見すらないので、より一層生命の流れに近いと言える。連句は生命というプロセスのミニチュア版、そう言えなくはない。

ところで、寺田は連句を生命にたとえてはいないが、夢にはたとえている。「連句雑俎」(一九三一)という文章に、連句の展開を心理学的に研究したら面白いだろうと述べた後、その研究は潜在意識の解明につながるのではないかと提案し、次のようにフロイトの夢分析につなげているのである。

連句の一句の顕在的内容は、やけりその作者の非常に多数な体験のかなめである。そうしてその多くの潜在的思想の網が部分的に前句と後句に引っかかっているのである。もちろん前句には前句の作者の潜在思想の網目がつながっているのであるが、付け句の作者の見た前句にはまたこの付け句作者自身の潜在的な句想の網目につながるべき代表的記号が明瞭に現われているのである。そうしてまたこの二つの句を読む第三者がこの付け合わせを理解し評価しうるためにはこの第三者の潜在思想中で二句が完全に連結しなければならないのである。しかもこの際読者の網目と前句作者の網目と付け句作者の網目とこの三つのものが最もよく必然的に重なり合い融け合う場合において、その付け合わせは最もすぐれた付け合わせとして感ぜられるのである。このような機巧によって運ばれる連句の進行はたしかにフロイドの考えたような夢の進行に似ているのである。しかし夢の場合はそれが各個人に固有なものであって必ずしもなんらの普遍性をもたなくてもよい。しかし連句においては甲の夢と乙の夢との共通点がまた読者の多数の夢に強く共鳴する点において立派な普遍性をもっており、そこに一般的鑑賞の目的物たる芸術としての要求が満足されているのである。[8]

つまり、連句には無意識の作用が顕著であり、その点でフロイトのいう自由連想が生かされているというのである。

確かに、寺田は夢が個人的な精神世界の表現であり、そこに美的な感動が伴う必要がないのに対し、連句の場合には集団の無意識の相互作用を通じて美的感動を得ることが求められている、と夢と連句のちがいを強調している。しかし、そうした比較以上に、連句をフロイトの精神分析と結びつける発想自体素晴らしいことではないか。彼が文学と科学、俳諧と物理学との結び目として潜在意識に注目し、精神分析にある種の期待を抱いていたとすると、それだけでもたいへん興味深い。精神分析は科学ではないといった意見もあるが、寺田流に言えば、科学であって科学でないからこそ、未来において詩と科学を結び得るものがそこにはあるということになる。
　寺田が俳諧連句を映画と結びつけていることにも言及しておこう。「映画芸術」（一九三二）において、彼は連句がエイゼンシュタイン（Sergei Eisenstein 1998-1948）の「モンタージュ」手法に似ていると指摘し、シュールレアリスムの映画「アンダルシアの犬」（ルイス・ブニュエル監督作品、脚本は画家のダリ作、原題はUn chien andalou）は連句に近いといった、思い切った主張を展開しているのである。

映画と連句とが個々の二つの断片の連結のモンタージュにおいてほとんど全く同一であるにかかわらず、全体としての形態において著しい相違のあるのは、いわゆる筋が通っているのと通っていないのとの区別である。多くの映画は一通りは論理的につながったストーリーの筋道をもっているのに、連句歌仙の二十六句はなんらそうした筋をもたないのである。（…）しかし「アンダルシアの犬」と称する非現実映画（往来社版、映画脚本集第二巻）になるともはやそういう明白な主題はない。そのモンタージュは純然たる夢の編成法であり、しかもかなりによく夢の特性をつかんでいる。たとえば月を断ち切る雲が、女の目を切る剃刀を呼び出したり、男の手のひらの傷口から出て来る蟻の群れが、女の脇毛にオーバーラップしたりする。そうい

8　同注2、51427－51439/52797

う非現実的な幻影の連続の間に、人間というものの潜在的心理現象のおそるべき真実を描写する。この点でこの種の映画の構成原理は最も多く連句のそれに接近するものと言わなければならない。[9]

この引用で驚かされるのは、なにより寺田の飽くなき好奇心である。彼は精神分析のみならず映画芸術にも関心を持ち、しかもそれを連句と結びつけて考えていたのである。連句を西洋的文脈で説明する可能性を追求し、その結果、西欧の前衛芸術や夢の理論に光を当てる。これは洋の東西にまたがるスケールの大きなヴィジョンの提示であり、同時に科学と芸術との架橋のモデル提供でもある。

映画「アンダルシアの犬」がフロイトの夢の分析に深く影響されていることは疑いの余地がない。寺田自身が指摘したように夢にはストーリーがなく、その点では連句と共通するが、夢はあくまで個人の潜在意識を明らかにするだけで、決して芸術作品とはなり得ないのである。この映画にはストーリーがなく、非現実的なモンタージュの連続でありながら、それでも芸術作品たらんとしている。なるほど、この種の映画は連句に近い。

以上、寺田の俳諧論、連句論を見てきたが、一体、どのような連句を彼とその仲間は制作していたのだろう。彼の連句仲間といえば、いつも小宮豊隆と松根東洋城であった。二人とも寺田同様夏目漱石の門下で、前者はドイツ文学者[9]、後者は俳諧雑誌『渋柿』の編集者。寺田はこの芭蕉の俳諧の復活を目指す松根の感化を受けて、連句の世界に参入していったのである。一九二六年、同誌十月号に発表された三人の連句の冒頭部のみ紹介する。

雪の蓑ひとつ見ゆるや峡（かひ）の橋　東洋城
空はからりと晴れわたる朝　蓬里雨
入営を見送る群の旗立てて　寅日子
酒にありつく人のいやしき　城
後の月用もないのに台所　雨
飛んで出でしは竈馬（いとど）なり　子[10]

「東洋城」は山根のことであり、「蓬里雨」は小宮のこと、「寅日子」は寅彦の当て字である。同じ名が二回目以降に登場する時はそれぞれの名の最後の一文字のみ記す慣わしで、それゆえ「寅日子」は「子」となる。

この連句は総計三六句で構成されており、三六句からなる連句を「歌仙」という。ここではその

9　同注2、7336－7354/52797
10　『寺田寅彦全集』第11巻『俳諧及び和歌』所収（岩波書店、一九九七年）

最初の六句のみ引いたが、これだけでも連句ゲームの面白さは伝わるにちがいない。

東洋城が発句を打ち出す。発句には季語がなくてはならない（そういうルールである）。東洋城は「雪」を季語として冬景色をこしらえた。「雪よけの蓑が一つだけ見える、山峡の橋の上に」と、美しい冬景色の導入である。

つづく蓬里雨は視線を上空へずらし、雪が降っていないどころか、からりと晴れわたった空があることを示す。これで風景画の完成となる。

これを受けた寅日子は、情景を大きく転回して兵士の「入営」を語る。見送りの人々が群をなして国旗を振っている情景である。初めの二句の風景美はこの現実の情景によってかき消され、一気に雰囲気が変わる。

それを受けた東洋城、群衆の中に、入営を祝う酒にありつこうとする卑しい人があることを容赦なく暴露する。そうなると、つづく蓬里雨は視線を上空から卑近な場所へと移さねばならず、酒には肴がつきものだからと台所に目を移す。そこには「用もない」のに「月」が後ろからやってくるのである。「雪」と「月」という伝統美の象徴がこうして無用の長物と化し、しかもひもじさと結びつけられる。そういうところに、伝統美学の脱構築としての俳諧の本領が発揮されるのである。

さらに、それに輪をかけるかのように、今度は寅日子が竈のわきにいる小虫「竈馬」（いとど）を登場させる。その「飛んで出」る動きが笑いを誘う。ゲームは始まったばかり、この先いろいろな展開が予想される。参加者は単なる娯楽以上の楽しみをそこに感じる。

参加者に高度なテクニックと広い教養がなければこうした楽しみ方はできない。伝統的なものと近代的なもの、自然と人間との乖離と調和、これを同時に感じて表現するところにこのゲームの醍醐味があるのだ。

四　科学の正統

今日の物理学が古代ギリシャに源を持つことは言うまでもないが、寺田が学んだのはガリレオ、ケプラー、ニュートンらが創り上げた近代物理学であった。自然の観察、そこから得られる情報の分析、分析から得た結果をもとにした仮説の構築、実験による仮説の証明、最終的には証明された仮説の法則としての確立、それの数式化。このプロセスが近代科学なのである。寺田が学んだのはまさにこれであった。

すでに見たように、彼はこの科学の自然観は自然を外から眺めて得られるもので、科学者自身が自然の一部ではないかのように「客観的」に見ることで得られるものだと見ていた。これに対し、自分が親しんでいた俳諧の自然観は、はじめから人間を自然の一部として位置づけている点で科学とは異なるということも、彼は明確に意識していた。では、このように全く異なった世界観の両方を引き受けた彼は、一体どのようにしてそれらを両立させたのか。彼の精神は、この二つによって引き裂かれるようなことはなかったのだろうか。

これについては、本稿のはじめの方に引用した彼の文章が参考になるので、もう一度引用する。


生命の物理的説明とは生命を抹殺する事ではなくて、逆に「物質の中に瀰漫する生命」を発見する事でなければならない。物質と生命をただそのままに祭壇の上に並べ飾って賛美するのもいいかもしれない。それはちょうど人生の表層に浮き上がった現象をそのままに遠くからながめて甘く美しいロマンスに酔おうとするようなものである。これから先の多くの人間がそれに満足ができるものであろうか。私は生命の物質的説明という事からほんとうの宗教もほんとうの芸術も生まれて来なければならないような気がする。ほんとうの神秘を見つけるにはあらゆる贋物を破棄しなくてはならないという気がする。（春六題　一九二二）

すなわち、寺田は自身の伝統や旧来の考え方を否定しはしないものの、すべては一度近代科学によって濾過されねばならず、その過程なくして前進できないと考えていたのだ。俳諧もまた然りだったのである。

一方、俳諧の精神が近代科学と仮にも矛盾するなら、その矛盾を克服できるような新たな科学を生み出す必要がある。そのような新科学は、当然ながら俳諧と近代科学の総合として位置付けられる。寺田にはそのような超科学の試みは見られないが、それでも自己分裂は起らなかった。俳諧と科学とを調和に満ちた総合知の構成要素と見たからであろう。近代の日本人として、まことに稀有なことである。

寺田と科学の出会いを振り返ってみたい。彼が科学に目覚めたのは熊本の五高の学生の時であった。俳諧に目覚めたのも同じ時だったから、最初から二刀流だったと言ってよい。五高で田丸卓郎という物理の教師と出会って、数学と物理学の手ほどきを受けた。一方、俳諧への道は同校で英文学を教えていた夏目金之助（のちの漱石）との出会いによって開かれたのである。夏目は正岡子規の友人で、俳諧に通じる英文学者だった。寺田はこの教師のもとで、英文学を学ぶとともに、俳諧の道に親しむ機縁を得たのである。

とはいえ、夏目と寺田は俳諧について同じ考えを持っていたとは言えない。夏目が「ホトトギス」を主宰する高浜虚子に近づいていったのに対し、寺田はその虚子をきらう山根東洋城の蕉風連句に深く入っていったのである。これを言い換えれば、夏目は近代派であり、寺田は伝統派だったということだ。この差異が二人の人生と文学にまで及んでいると言っては言い過ぎになろうか。

寺田の二刀流についてはすでに述べたが、彼が俳諧的伝統と物理学の総合を早急に試みることがなかったことは強調しておきたい。彼は二つの文化を照らし合わせ、双方のバランスを失わないように、伝統文化を科学的に理解することをむしろ重視したのである。当時の日本知識人一般とは異なった選択で、その意味で彼は周囲から孤立していたとも言える。たいていの知識人は西洋文明を吸収することに汲々としており、西洋化以前の日本文化をなおざりにするか、愛嬌程度にしかそれに触れようとしなかったか、あるいは西洋文明をきらって東洋趣味に感傷的に耽るか、いずれかだったのである。

寺田が伝統文化の科学的解明を重視していたことは、彼の博士論文に端的に現れている。一九〇八年に提出した「尺八の音響学的研究」(Acoustical Investigation of the Japanese Bamboo Pipe, Shakuhati) と題されるその論文は、尺八という伝統楽器の不規則に聞こえる音の物理学的分析であり、それを数式で表すところにまで至っている。尺八は邦楽に属し、自然科学とは無関係というのが常識であったが、寺田はあえてそれに従わず、あくまで伝統文化の科学的解明を試みたのだ。そうすることで、伝統文化を普遍的言語で語る道をひらいたのである。

では、その結果何がわかったのかといえば、尺八の音は西洋音楽の理論には合致しないもので、音の「ゆらぎ」(fluctuation) を基本とするものだということである。当時はまだ「ゆらぎ」について今日の熱力学におけるような理解はなかったが、寺田は日本の伝統音楽を考察することで、この概念に早くに到達していたのである。

寺田自身は尺八を吹くよりは西洋楽器を楽しんだ。自らバイオリンを習い、娘にはピアノを習わせ、また連句を説明する際にも西洋音楽の形式との比較を行っている。しかし、だからといって、伝統音楽を軽視していたわけではない。前述の博士論文で伝統音楽の特徴を科学的に分析しているところに、それは端的に表れている。

寺田の物理学が日常生活に材を求める傾向があったことは前にも述べた。しかし、一九〇九年から三年間ドイツに留学したことで、理論研究への関心が高まったことも事実である。日本に戻ってからの数年間、彼が書いた随筆の多くが理論的なものであることは看過できない。

本来の関心である日常生活の現象についての科学は、一九二〇年ごろ戻ってくる。地震や気象の研究から、金平糖の幾何学的形状、墨汁が水に垂れたときの流れというふうに、実用的なものから審美的なものまで、いろいろな研究がなされていくのである。今から見れば、いずれもが科学的に価値のあるものだが、当時の科学界においてどのように見られただろう。限られた人を除いて、功なり名を成した人の余興、というふうにしか見られなかったのではないか。

彼が日常現象にそこまで関心を持ったのは、それが具体的で感覚できる世界だったからである。しかし、それだけでなく、そうした現象が不規則的で恒常的でないところに興味を抱いたのである。なんとなれば、当時の科学は恒常的で規則的な現象にのみ注意を払っていた。だからこそ、確実に真理を積み重ねていくこともできた。しかし、寺田にはそうした規則的現象が私たちの経験する現象の一部でしかないことがよくわかっており、それゆえ、あえてそれまでの科学が問題としてこなかった問題に取り組もうとしたのである。

これをもう少し専門的に言えば、彼が不規則な現象に興味を持ったのは、のちの時代の科学において重要となる統計学的発想を持っていたということである。自然現象に規則性を発見しようとする意図は、彼も多くの科学者と共有していたが、彼の場合は一見して不規則な現象の背後に潜んでいる規則性の探求を目指したのであり、そのために統計学的な方法が必要だと判断したのである。ちなみに、統計学的発想とは偶然性を認める発想であり、確率が問題となる。従来の科学が敬遠してきた偶然性と確率に注目したところに、寺田の先駆性があったと言える。

彼の統計学的発想の端緒には、この方面の先駆者ボルツマン（Ludwig Boltzmann 1844-1906）の影響があったと見ることはもちろん可能である。ボルツマンは寺田に物理学を講じた長岡半太郎（1865-1950）の師であったから、寺田もこのドイツ人に親しみを感じていたかも知れない。しかし、もっと重要なのは、彼が日常生活の諸現象を不断に観察し、それを理解しようとした結果、必然的にそこにたどり着いたということである。一九七七年ノーベル賞を受賞したプリゴジン（Ilya Prigogine 1917-2003）は、私たちを取り巻くシステムの多くが「非平衡系」であり、それらのシステムが混沌状況からエネルギーを散逸させつつ自己構造化を進めることを示したが、このロシア出身の科学者が積極的に用いたのが統計力学の方法なのである。寺田は早くにプリゴジン的発想を持っていたと言えよう。

プリゴジンのノーベル化学賞受賞演説を読むと、従来の物理学と化学が不安定な現象を扱わずに安定した現象のみ扱ってきたために、混沌からの自己構造化という事象について全く無知であったことがわかる。これからの物理学と化学は混沌、不安定性を進んで受け入れ、これを研究することで生物学や社会科学と連携できるようになるだろう、と彼は明言している。[11] それまで大きく隔てられていた学問の諸分野が協働できる道が、ここにはっきりした形で提案されたのだ。寺田が生きていてこの演説を聞くことができたならば、「ようやくその時が来たか」と感慨に耽ったのではないだろうか。寺田とプリゴジンとのあいだには、一世代以上のひらきがある。

日常生活と密着した科学への関心に戻れば、彼が科学の応用による日常生活の改善を目標の一つとしていたことは確かである。地震災害の多い日本では国を挙げて地震研究を奨励していたが、寺田はその国家プロジェクトの中心に位置していた。しかしながら、いくら地震研究の第一人者であったからといって、彼の科学が実用に終始したと思うのは間違いである。彼の関心は、すでに述べたように、自然というものを科学的に理解することにあり、決して単なる実用主義者ではなかったことを強調しておきたい。

彼の科学者としての正統性は、たとえば群馬県を訪れた際に小浅間という火山に登り、そこで考えたことに現れている。「小浅間」（一九三五）という文章に、次のような言葉が見つかるのである。

> 小浅間への登りは思いのほか楽ではあったが、それでも中腹までひといきに登ったら呼吸が苦しくなり、妙に下腹が引きつって、おまけに前頭部が時々ずきずき痛むような気がしたので、しばらく道ばたに腰をおろして休息した。（…）
>
> まわりに落ち散らばっている火山の噴出物にも実にいろいろな種類のものがある。多稜形を

11　Ilya Prigogine: "Time, Structure and Fluctuation, Nobel Lecture, 1977, in https://www.nobelprize.org/prizes/chemistry/ 1977/prigogine/lecture/

した外面が黒く緻密な岩はだを示して、それに深い亀裂の入ったブレッドクラスト（麵麭殻）型の火山弾もある。赤熱した岩片が落下して表面は急激に冷えるが内部は急には冷えない、それが徐々に冷える間は、岩質中に含まれたガス体が外部の圧力の減った結果として次第に泡沫となって遊離して来る、従って内部が次第に海綿状に粗相になると同時に膨張して外側の固結した皮殻に深い亀裂を生じたのではないかという気がする。表面の殻が冷却収縮したためというだけではどうも説明がむつかしいように思われる。実際この種の火山弾の破片で内部の軽石状構造を示すものが　多いようである。（…）

その他にもいろいろな種類の噴出物がそれぞれにちがった経歴を秘めかくして静かに横たわっている。一つ一つが貴重なロゼッタストーンである。その表面と内部にはおそらく数百ページにも印刷し切れないだけの「記録」が包蔵されている。悲しいことにはわれわれはまだ、そのヒエログリフ（聖文字）を読みほごす知能が恵まれていない。[12]

要するに、火山の様々な噴出物は火山活動による地殻の変動の歴史を伝える「記録」なのだが、これは未だ解読できていないと言っているのである。自然を見て、これを書物と理解し、その解読を進めるのが科学であるとはガリレオ以来科学者の常識となっていたことである。寺田がこの道を忠実にたどっていたことがよくわかる一節だ。

ちなみに、彼の愛弟子で雪の研究で有名になった中谷宇吉郎（一九〇〇－六二）も、その主著

『雪』（一九三八）において「雪は天からの手紙」だと言っている。「天からの手紙」を解読するという中谷の発想は恩師寺田寅彦から受け継いだもので、その淵源をたどれば、近代科学の草分け的存在であるガリレオに行きつくのである。

五　X線回折

一九〇九年から三年間ドイツに留学したことで、寺田の理論物理学への関心が高まったことについてはすでに述べた。では、そのドイツ留学において、彼は具体的に何を学んだのか。また、帰国後の彼の理論的考察は、どのようなものだったのか。

寺田が留学したのは東京帝国大学に尺八の音に関する博士論文を提出した少し後だ。留学の目的は地震や気象に関する欧州科学の現状把握もあったが、物理学の最先端を知っておくことも計画に入っていた。気象学や地質学、地球物理学などの講義を聴くかたわら、プランクの理論物理学の講義も聴いている。プランクとは、あの量子力学の草分け的存在の、マックス・プランク（Max

12　同注2、18385－18414/52797

Planck 1858-1947）のことである。

地震や津波の被害に苦しむ日本人にとって、地震学や気象学、海洋学などは直接役立つ学問であった。寺田が国費留学生であったことを考えれば、それらを熱心に学んだことは十分理解できる。一方、プランクの講義に出たのは最先端の物理学がどういうものかを知るためであった。プランクの講義は明快で、人物も明るかったと述懐しているが（「ベルリン大学（1909-10）」一九三五）、理論物理学の最先端を目の当たりにすることができたのは、大きな収穫だったにちがいない。

ドイツ留学で寺田が得たものはそれだけではなかった。物理学界の雰囲気そのものを感じ取ったのだ。その結果、帰国後もヨーロッパ物理学の動きに敏感に反応し、その結果がX線回折への取り組みとなった。X線回折は当時最先端の研究対象であったので、それに取り組むことで彼も科学者としての地位を得たかったのだろう。単に日本国内だけでなく、国際的なレベルでも活躍したいと思ったにちがいない。でなければ、あれほど多くの英語論文を書いたはずもない。

ドイツでは、寺田が日本に帰ったその年に、前述のプランクの弟子フォン・ラウエ（Max von Laue 1879-1960）がX線の回折現象を研究し、X線が電磁波であることを突き止めた。一方の寺田は、この回折の原因を突き止めようとして幾つかの実験を行い、その原因がエックス線の回折する対象である結晶の原子構造にあることを確認した。これは当時誰も発見していなかったことだったので、さすがに寺田もこれを世界に発信しようと決心した。思い切って国際科学雑誌Natureに投稿したところ、同誌編集部に評価されて、一九一三年掲載の陽の目を見ている。物理学者寺田寅彦は、かくして国際レベルで認められる科学者となったのである。

しかしながら、彼とほぼ同時期、イギリスでブラッグ父子（William H. and William L. Braggs）が同じ結論に達していた。彼らもその研究成果をNature誌に投稿し、寺田のより少し遅れてその論文が掲載された。両者の研究は全く同じなのかというと、寺田のは結晶構造の幾何学的な秩序に着目したもので、正確な実験を繰り返して得た結論ではあるが、ブラッグ親子のようにその結論を数式化しきれていなかった。近代科学では結論を数式で表現するのが通例であるから、その点で寺田の論は科学者たちにアピールすることができなかったのである。一方のブラッグ親子は数式化に成功し、その結果、一九一五年ノーベル物理学賞を勝ち得ている。

このことは寺田にとって残念なことではあったろうが、たとえ物理学史にその名が残らなくても、寺田自身は自分の物理学が国際水準に達していることがわかっただけでも満足できたのではないか。結論の数式化よりは結晶構造の幾何学的な美に惹かれたというのならば、いかにも寺田的であり、研究における敗北とばかりは言えないのである。寺田は寺田なりに科学に貢献した、そう言ったほうがよいように思われる。

というのも、寺田がなしたことは科学のもう一つのあり方を示すものだったからである。自然の美に目もくれず計算に没頭する科学者が増加するなかで、彼のように芸術的な科学を求めたことは、それ自体価値のあることではなかったか。寺田の業績は科学のひとつのあり方を示した。このことは、もっと評価されねばならない。

本書の第一章で触れたが、代数計算にこだわる物理学に最も厳しい評価を下したのは、当時無名のフランス人哲学者シモーヌ・ヴェイユ（Simone Weil 1909-43）である。科学は目に見える現実から離れてはいけない、科学の代数化は真理探究の道からの逸脱だ、そう批判した彼女は[13]、おそらく寺田と共通する科学観を抱いていたと思われる。彼女が寺田のことを知っていたら、「これぞ本物の科学者だ」と共感したのではなかろうか。

六　ポアンカレーと日常の科学

X線回折と結晶の原子構造の研究がひと段落すると、寺田は日常生活の科学を手がける前に、科学の基礎理論の考察に精力を傾けた。ここではそうした考察の産物である二つの論文、すなわち一九一五年に発表された「偶然」と「方則について」を吟味してみたい。

この二つはポアンカレー（Henri Poincaré 1854-1912）の『科学と方法』（Science et méthode 1908）に触発されたものである。とくに前者はポアンカレーの「偶然」（Le hazard）という文章の要約と言ってよい。ちなみに、寺田はこれを原文のフランス語ではなく、ドイツ語訳で読んだようである。ポアンカレーの文章は日本の数学者や科学者に大きな影響を与えている。その理由の一つは彼の文体にあろう。科学者の文章であるから明快であるが、たぶんに詩的な情緒を喚起する。その詩的情緒がフランス人らしい幾何学的知性と結びついて、読者の想像力に訴えるのである。文体にくどくどしたところがなく、簡潔であるところも日本で受けた理由に数えられる。俳諧文芸に親しんでいた寺田など、とくにそれが気に入ったのではないだろうか。

ポアンカレーの有名な一文を引こう。

　科学者は自然を研究するが、それが有益だからではない。ただ楽しいから研究するのである。科学の研究が楽しいのは、自然がただ美しいからなのだ。[14]

寺田のような科学者はこういう言葉に慰められたにちがいない。科学と詩の接点を求めていた彼として、ポアンカレーは格好の先達と映ったろう。

先にも述べたように、寺田の論文「偶然」はポアンカレーの同題の論を日本語に要約したものと言ってよい。では、その主旨はどういうものかというと、まず自然現象には二種類あり、科学的法則を導き出せるような現象と、そうでない現象とがある。両者をはっきり区別し、同じ方法で取り組んではならない、というのである。これを読んだ寺田、同様のことを自分も感じていただけに、

13　Simone Weil : Réflexions à propos de la théorie des quanta, 1940
14　Henri Poincaré: Science et méthode, Flammarion, 1920, p.15

大いに鼓舞されたと思われる。

ポアンカレーは同じ論文で、一見法則性がないように見える現象でも、それにふさわしい方法を用いれば科学的な研究ができることをも示唆している。日頃から日常での不規則な現象に興味を持っていた寺田にすれば、この示唆は非常に重要だったはずだ。それまでの物理学に感じていた不満を、ポアンカレーの論を読むことによって、ある程度解消できたのではなかろうか。

「偶然と必然」の問題は二〇世紀の科学においてきわめて重要なものの一つであった。今でもそうであろう。量子力学が確率論を採用したのは、宇宙のすべてを必然性で説明し尽くそうとするそれまでの科学への挑戦であり、偶然性への配慮が科学において必要であることを認識させる重要な出来事であった。やがて生物学がこの問題を追求し、生命現象は必然性によってすべてが解明できるわけではないことをはっきりさせる。[15] 寺田はそこまで予測できなかったにしても、ポアンカレーの偶然への言及に、新たな科学の可能性を感じ取ったと思われる。

寺田のもう一つの文章「方則について」も、ポアンカレーの偶然論に触発されたものである。しかし、こちらのほうは単にポアンカレーの説をなぞるかわりに、寺田自らの立場を鮮明に打ち出している。それによれば、科学とは我々の具体的な経験から「方則」(＝法則)なるものを抽象することであり、それは偶然性と不規則性に満ちた現象世界を「平均化」し数学的に表現することである。したがって、科学は「近似的」にしか現実を示せない、そこのところを見誤ってはならない、という趣旨である。

もし量子的の考えを用いずしてすべての現象が矛盾なしに説明され得るのであったら、何を苦しんで殊更に複雑な統計的の理論を担ぎ出す必要があるであろうか。数学的の興味は十分にあるとしても自然科学とは交渉の少ないものであろう。実際は幸か不幸かそうでない。化学的現象は勿論の事、ブラウン運動等の研究はますます分子原子の実存を証するようになり、真空管や放射性物質の研究はどうしても電子の存在を必然とするようになって来た。人間が簡単を要求しても自然はそれには頓着しない。ただ複雑な変化の微小な事、またポアンカレーのいうごとく複雑さが十分複雑であるために「偶然の方則」が行われ、多くの場合には簡単な平均的の云い表わしを抽象的に考える事が出来るのであろう。[16]

つまり、分子だの、原子だの、電子だの、量子だのと、近代科学は物質を構成する目に見えない微粒子を考え出したが、それはひとえに、すべてを単純化したがる人間の知性を自然が凌駕していることを示すに過ぎないというのである。言い換えれば、科学が発達すればするほど、自然の偉大さが見えてくるということだ。「偶然の方則」という考えが科学者の中から出てきたのも、彼らが自然にできるだけ接近しようとしたからであり、この努力こそが科学の進歩を示している、と言っ

15　Jacques Monod : Le hasard et la nécessité, Seuil, 1973
16　同注2、45428－45438/52798

ているのである。

引用からわかるもう一つのことは、寺田にとって、「偶然」あるいは「不規則」の対極に位置するものが「平均」だったということである。科学は不均衡な現象を平均化して規則性を摘出するのだが、そういうやり方は複雑な現実を単純化することにしかならない。それに慣れてしまえば、現実そのものが単純に見えてきてしまい、科学と現実とのズレが見えなくなるというのである。従来の科学およびそれについての人々の反応に対する警告として、これは今日的にも意味を持つ。

似たような主張はのちの寺田の随筆にも現れている。たとえば、一九二二年に書かれた「春六題」には、以下のような文章が見つかる。

> 暦の上の春と、気候の春とはある意味では没交渉である。編暦をつかさどる人々は、たとえば東京における三月の平均温度が摂氏何度であるかを知らなくても職務上少しもさしつかえはない。北半球の春は南半球の秋である事だけを考えてもそれはわかるだろう。春という言葉が正当な意味をもつのは、地球上でも温帯の一部に限られている。これもだれも知ってはいるが、リアライズしていないのは事実である。しかしたとえば東京なら東京という定まった土地では、一年じゅうの気候の変化にはおのずからきまった平均の径路がある。それが週期的ないし非週期的の異同の波によって歳々の不同を示す。この平均温度というものが往々誤解されるものである。どうかするとその月にその温度の日が最も多いという意見に思いちがえられるのである。

しかし実際は月の内でその月の平均温度を示していた時間はきわめてまれである。[17]

ここにも、寺田の私たちへの警告が見える。平均値と現実とを混同してはならない、と。

以上、ドイツ留学以降の寺田の理論的考察を見てきたが、このあと彼は日常生活に見られる不規則な現象の背後にある規則性の探究へと向かっていく。精神の故郷をそこに見出したのかもしれないし、上記の理論的考察が彼の研究をその方向へと後押ししたのかもしれない。しかし、そうした研究に深入りする前に、早急に解決しなければならない実際上の大問題が彼の身に降りかかった。関東大震災である。

すでに述べたように、ドイツで地震学を学んだ寺田は、日本で頻発する地震現象の徹底解明を試みようとしていた。地震は日常現象であるが、発生を予測するのが難しい。一九二三年、首都の東京を襲う大地震が発生したとき、寺田は東京の自宅でこれを体験したわけだが、政府は寺田に地震予知の可能性を探ることを期待し、彼もこれに応えようと奮闘した。

しかし、いくら寺田でも、なんら確固とした結論に到達することはできなかった。それというのも、地震現象の研究は物理学者だけではできない学際的組織が必要であるが、そのような体制が日

17　同右、41564－65/52797

本にはなかったからだ。[18]「地震雑感」（一九二三）を読むと、既存の研究体制、学問体制ではもはや無理、おおきな改革が必要だ、そう叫ぶ彼の声が聞こえる。どの近代国家も直面する研究システムの問題に、彼もぶち当たったのだ。

この問題は日本の研究システムの根幹に触れるものだった。では、彼が留学したドイツではどうだったか？　実はドイツでもそのような体制は整っておらず、ドイツを範としていた日本ではなおさらのことだった。寺田のように異なった領域にまたがった研究を好んだ者にとって、日本が導入したヨーロッパの後進国ドイツの縦割りシステムは権威主義的で、実効性の乏しいものに映ったであろう。彼自身、帝国大学のシステムの真只中にいて、不自由を感じることも多々あったと推測される。ちなみに、この縦割り式は彼が世を去って八〇年経つ現在に至るまで続いており、その弊害が減少している様に見えないことを付け加えておく。

地震問題への対処の任務を解かれると、寺田はようやく日常生活に見出される興味深い現象に関心を向けるゆとりを持った。それが墨汁の水に垂れたときの流れの研究となり、あるいはまた金平糖の幾何学的形状の研究となったのである。これらは先述のプリゴジンの散逸構造とか、あるいは数学でいうフラクタルとかの先駆となるもので、今日的に見て価値のあるものだ。もっとも、当時の多くの研究者にはその価値がわかりづらかったようで、名を成した大家の戯事のように見えたとして不思議はない。

寺田自身は、以下のようにそれに関する自らの立場を説明している。

ここでかりに「自然界の縞模様」と名付けたのは、空間的にある週期性をもって排列された肉眼に可視的な物質的形象を引っくるめた意味での periodic pattern の義である。こういう意味ではいわゆる定常波もこの中に含まれてもいいわけであるが、この動的なそうしてすでによく知られて研究し尽くされた波形はしばらく別物として取り除いて、ここではそれ以外の natural, statically periodic patterns とでも名づくべきものを広くいろいろな方面にわたって列挙してみたいと思う。これらの現象の多くのものは、現在の物理的科学の領域では、その中のきわめて辺鄙な片田舎の一隅に押しやられて、ほとんど顧みる人もないような種類のものであるが、それだけにまた、将来どうして重要な研究題目とならないとも限らないという可能性を伏蔵しているものである。今までに顧みられなかったわけは、単に、今までの古典的精密科学の方法を適用するのに都合がよくないため、平たく言えばちょっと歯が立たないために、やっかいなものとして敬遠され片すみに捨てられてあったもののように見受けられる。しかし、もしもこれらの問題をかみこなすに適当な「歯」すなわち「方法」が見いだされた暁には、形勢は一変してこれらの「骨董的」な諸現象が新生命を吹き込まれて学界の中心問題として檜舞台に押し出されないとも限らない。(「自然界の縞模様」一九三三)[19]

18　同注2、23494/52798
19　同注2、23716/52798

「自然界の縞模様」とは耳慣れない言葉であるが、いかにも寺田らしい造語で、読者にイメージしやすい。従来の物理学では扱いづらい領域の物理学を、彼は構想していたのである。のちに前出のプリゴジンが、スタンジェールとの共著『混沌からの秩序』(Ilya Prigogine/ Isabelle Stangers : La nouvelle alliance 1978) において同じことを述べることになる。無論、プリゴジンは寺田を知らず、寺田も彼を知るはずがなかった。

ところで、寺田自身は彼が得意とした日常現象の科学を「日本的」と考えていたようである。なるほど金平糖にしろ、墨汁にしろ、日本の日常生活に溶け込んでいるものである。しかし、それだけでなく、抽象的な科学よりも具象的な科学を好んだところに、感覚と情緒を重視する日本的伝統が現れていると見たようである。

裏を返せば、自然現象の数式化を目指す近代科学は、彼にとってはあまりにも「西洋的」だったということだ。彼にすれば、自分の文化的伝統に忠実なままで科学を実現したかったのである。あるとき、弟子の宇田道隆にこう言ったという。「物理学も西洋人のまねをすることはない。日本人に具合のいい物理学があるはずだ」と。[20] 同じ物理学でも、文化のちがいによってその現れ方が異なるということが、よくわかっていたのである。

郵便はがき

料金受取人払郵便

福岡中央局
承認

117

差出有効期間
2024年2月29日まで

810-8790

157

(受取人)
福岡市中央区渡辺通二―三―二四
ダイレイ第5ビル5階

石風社

読者カード係行

注文書◆ このハガキでご注文下されば、小社出版物が迅速に入手できます。(送料は不要です)

書名	定価	部数

＊郵便振替用紙を同封しますので、送金手数料は不要です。

ご愛読ありがとうございます

＊お書き戴いたご意見は今後の出版の参考に致します。

科学と詩の架橋

（　　歳）

ふりがな
ご氏名

（お仕事　　　　　）

〒
ご住所

☎　　（　　）

●お求めの書店名

●お求めのきっかけ

●本書についてのご感想、今後の小社出版物についてのご希望、その他

月　　日

七　プリゴジン

すでに何度か述べたように、寺田の発想は熱力学の大家プリゴジンの理論を先取りするものだった。プリゴジンはエネルギーが散逸して混沌状態にあるシステムがやがて秩序を形成する自己構造化のプロセスを明らかにしたことで知られる。これによって、離れ離れになっていた「二つの文化」（The Two Cultures）[21]、すなわち理系と文系とをつなぐ可能性を示したのである。そのことをプリゴジンはスタンジェルとの共著『混沌からの秩序』（一九七八）の冒頭で、次のように述べている。

私たちの自然観は今大きく変わりつつある。多様性、時間の経過、複雑さを考慮したものになりつつあるのだ。長い間、私たちの世界観は機械論的だった。それが西欧に生まれて科学の推進力となって以来世界中を支配したのだが、それによれば、世界は一種の自動機械であり、どこへ行っても同じ一つの世界なのである。ところが、私たちは多様な世界があり、その中で自分たちが生きていることを知っている。

もちろん、世界には不変の、反復可能な現象があることは事実だ。ゆらぎのない振り子の運

20　宇田道隆「海の物理学の父寺田寅彦先生の思い出」（『思想　寺田寅彦追悼号』岩波書店、一九三六）
21　C.P. Snow :The Two Cultures and the Scientific Revolution, 1959参照

動とか、太陽の周りをめぐる地球の動きとかはそういう現象だ。このような運動は時間の制約というものを知らない。いつも、どこでも同じ、という性質の動きなのだ。しかし、そういう無時間的な動きのほかに、時間の進行を考慮しなくてはならない運動、すなわち不可逆的な動きというのもあるのだ。たとえば水とアルコールのように異なる二つの液体を混ぜ合わせると、時間の経過とともにそれらは混じり合っていき、その反対の動きは現れない。これこそは不可逆のプロセスなのである。

従来の科学は可逆的で不変的なプロセスのみを扱ってきたが、より複雑なプロセスにおいては確率をも考慮しなくてはならない。生命の進化とか人類文化の変化とかを考える場合には不可逆性を認め、決定論から自由な観点に立ち、確率という考え方を受け入れなくてはならない。[22]

これまでの科学は不変性、単一性、可逆性によってとらえられる範囲でしか自然を説明してこなかった。しかし、実際の自然は変化し、多様で、不可逆的な面を持つ。そのような自然に迫るには、従来の科学では不十分だ、そう言っているのである。

では、その複雑さを考慮した新しい科学はどういう形で現れるのか？　プリゴジンは自分たちこそがそれを実現したと言いたかったようだ。事実、彼の熱力学は「確率」を基本概念とする統計学的方法で特徴づけられている。これは量子力学と軌を一にするものと言えるが、彼の理論は量子力学がまだ踏み込んでいない分野、たとえば生命進化とか、人類文化といったものにまで踏みこんでおり、まさにそこに「二つの文化」の結合の可能性が示されたのである。

では、そのような広角的な科学を彼が提唱できたのはどうしてか？　プリゴジンが科学者であるばかりかピアニストであり、考古学者でもあったことがこれと関係するのではないだろうか。本稿の主人公である寺田寅彦にしても、物理学者でありつつ俳諧詩人であり、ヴァイオリンを奏でる一方で多くのエッセイを書いた。連句を説明するのにフロイトの夢の分析を引き合いに出した同じ随筆の中で、彼は連句の流れを西洋音楽の流れとも比較しているのである（「連句雑俎」一九三一）。音楽というものの流れがプリゴジンと寺田を近づけている、そう言ってよいのではないだろうか。寺田の博士論文は「尺八の音の音響学的研究」であったが、そこでの基本概念が「ゆらぎ」(fluctuation) であったことを思い出したい。「ゆらぎ」こそ、プリゴジン理論の中核をなすものなのである。

ところで、プリゴジンが「生命進化」や「人類文化」に言及したということは、彼が「歴史」を考慮していたことを意味する。この「歴史」を考慮したというところが、寺田の発想の延長線上にプリゴジンがいたことのもうひとつの証拠となる。寺田は「歴史」を考慮しない科学は現実に近づけないということを、一九一五年、すなわちプリゴジンがこの世に生まれる二年前にすでに主張していた。「方則について」と題された文章に、以下のような言葉が見つかる。

22　この引用はPrigogine と Stangersの著書の英語版からとった。Order out of Chaos, Bantam Books, 1984, p.xxvii

ゼンマイ秤で物の目方を衡る場合を考えてみよう。不断に変化する宇宙全体が秤皿に影響してその総効果が収斂しなかったら一物の目方という定まった観念を得る事は出来まい。これだけでも第一目方とか質量とかいう言葉は意味を失うに相違ない。がただそればかりでない。（…）ゼンマイ秤の場合にはもう一つ面倒な歴史という事が現われて来るので、事柄は更に紛糾の度を加えて来る。

仮りに目方の方が不変であるとしても、これを比較すべきバネの弾性というものがなかなか厄介千万なものである。これは第一、温度によって変化する。これは主要な影響であるが、なお少し立ち入って考えると、これは気圧にも湿度にもその他雑多の外界の状況によって変り得べきものと考えられる。また肝心の温度なるものがある度以上には正確に測れぬものである。もしも温度の影響が大きくその他の微細な雑多の影響が収斂しなかったら、ゼンマイ秤で目方を測るのは瓢箪で鯰を捕える以上の難事であろう。今仮りに更に一歩を譲ってこれらの困難を切り抜けられるとして見ても、まだ弾性体に通有な「履歴の影響」という厄介な事が残っている。[23]

この引用の最後に出てくる「履歴の影響」は意味深長である。科学において重要な測定という行為には、「履歴」すなわち「歴史」が影響を及ぼすと言っているのだ。これは科学の本質に関わる重要な指摘であり、同時代の物理学の進展と深いところでつながっている。寺田がそれを知っていたかどうかは別として、量子レベルでの測定の問題は当時専門家のあいだで問題になっていたのである。

寺田とプリゴジン理論との発想の類似を示すうえで最も適切な文章は、しかし、上記の「方則について」ではない。彼が一九一七年に発表した「時の観念とエントロピーならびにプロバビリティ」こそは、その用語にしてからがプリゴジン的なのである。そこから重要と思われる部分を引用したい。

吾人の直感する「時」の観念に随伴して来る重大な要素は「不可逆」ということである。この要点は時を空間化するために往々閑却されるものである。空間の前後は観者の位置をかえれば逆になるが時間は一方にのみ向かって流れている。抽象的な数学から現実の自然界に移ってその現象を記載しようとする時には空間化された時だけでは用の弁じない場合が起こる。それはいわゆる不可逆現象の存在するため、熱力学第二方則の成立しているためである。

この方則の設立、エントロピーの概念の導入という事が物理学の発達史上でいかに重大なも

23　同注2、45361－45370/52798

のであったかという事は種々の方面から論ずる事ができようが、ここで述べたいと思うのは、空間化された「時」だけでは取り扱う事のできぬ現象を記載するために最も便利な「時」の代用物を見いだした事である。

もしかりに宇宙間にただ一つ、摩擦のない振り子があって、これを不老不死の仙人が見ている、そして根気よく振動を数えているとすればどうであろう。この仙人にとっては「時」の観念に相当するものはただ一つの輪のようなものであって、振動を数える数は一でも二でも一万でもことごとく異語同義（シノニム）に過ぎまい。よしやそれほど簡単な場合でなくとも、有限な個体の間に有限な関係があるだけの宇宙ならば、万象はいつかは昔時の状態そのままに復帰して、少なくも吾人のいわゆる物理的世界が若返る事は可能である。このような世界の「時」では、未来の果ては過去につながってしまうかもしれぬ。

吾人の宇宙を不可逆と感じる事は、「時」を不可逆と感ずる事である。全エントロピーは時と共に増すとも減ずる事はないというのが事実であるとすれば、逆にエントロピーをもって「時」を代表させる事はできないであろうか。普通の「時」とエントロピーとの歩調がいかに一様でないとしても、そこに一つの新しい「時」の観念が成立しうるのではあるまいか。[24]

引用が長くなったが、これが示すように、寺田はエントロピーを新しい「時」の概念として捉えており、これによって静的であった物理学を動的にすることが可能となり、それまでは無時間的な不変性を唯一の標的としていた物理学が、「歴史」の影響を受けて、「偶然」による展開を含む分野にも応用のできるものになる、と考えたのである。プリゴジンの発想とそっくりではないか。

ところで、こうした寺田の発想が、彼の親しんでいた俳諧連句と関係しなかったはずがない。四季の移り変わりを中心とした時のめぐりは、一見すると反復的で歴史を超えているように見えるが、俳諧連句の源泉である和歌に見られる、仏教の無常観に支えられた「うつろひ」の感覚は、エントロピーの増大に呼応するもので、その意味で不可逆的なのである。寺田にはこれは身についた感覚であって、おそらくそのために、エントロピーの概念を受け入れやすかったのだろうと思われる。

八　ルクレティウス

本章を閉じるにあたって、寺田がどうしてあれほどたくさんの随筆を書いたのかということを考えたい。

24　同注2、34687－34704/52798

すでに見たように、寺田の随筆は科学を論じたものと俳諧を論じたものが多い。それらはかなり専門的な議論も含んでおり、科学を一般人に解説しようとか、連句の世界の魅力を啓蒙しようとか、そうした意図はあまり見られない。では、何が目的だったのかといえば、彼自身の考えたことを一般読者と共有したかったから、というのが正解なのではないか。つまり、まずは自身のために書いたのであって、読者のためはその次に来るのである。

端的にいえば、彼の随筆は俳諧と科学とのあいだの架け橋の役割を果たしている。彼にとって相離れた二つの世界、二つの文化を結ぶ橋が必要であったことは間違いないが、その橋づくりのために、俳諧と科学について気ままに文章を書くことを選んだのである。

というのも、随筆は研究論文や連句の規則のような制約がなく、思いつくままに書くことができる。散文であり、分析能力を活かすことができるという点では論文に近いが、論文ほどの厳密さを持たなくてよいため、かえって想像力をはたらかせやすいのである。詩的な文章とは言えないが、詩的なものを分析して示すことはできる。俳諧が潜在意識の表出であるとすれば、研究論文は超意識の産物。となると、随筆はその中間に位置し、一般人と共有できる通常意識の表現となるのである。

そのような彼の随筆にモデルはあったのだろうか。欧米の評論や文化論にも多少は通じていた寺田であるが、これといったモデルがあったようには見えない。むしろ俳論を読み慣れていた彼であるから、その延長線上で随筆を書いたのではないかと思われる。

しかし、あえてモデルをひとつ挙げるなら、古代ローマの哲学者ルクレティウス（Lucretius）の名を挙げたい。彼の『事物の本性について』（De rerum natura　紀元前一世紀？）は寺田に最も深い感銘を与えた一書といえるからである。寺田のルクレティウスへの思いは、一九二九年に書かれた「ルクレチウスと科学」に端的に現れている。彼がこのローマの哲人の文章スタイルを範にしたとは言えないにしても、その詩的にして科学的な精神に深く共鳴していたことは間違いない。

寺田のルクレティウス論は彼の書いたもののなかでも分量的に大きい。いかにこの哲人に思いを寄せていたか、これによってもわかる。その冒頭を引用する。

今からもう十余年も前のことである。私はだれかの物理学史を読んでいるうちに、耶蘇紀元前一世紀のころローマの詩人哲学者ルクレチウス（紀元前九八―五四）が、暗室にさし入る日光の中に舞踊する微塵の混乱状態を例示して物質元子の無秩序運動を説明したという記事に逢着して驚嘆の念に打たれたことがあった。実に天下に新しき何物もないという諺を思い出すと同時に、また地上には古い何物もないということを痛切に感じさせられたのであった。[25]

今から二〇〇〇年以上も前に、ルクレティウスが「物質元子の無秩序運動」を科学的に説明して

25　同注２、49344－49351/52798

いることに、寺田はいたく感動したのである。

では、その感動からすぐにルクレティウスに取り掛かったのかというと、そうではなかったことがこれにつづく文章から明らかになる。寺田がその英訳本を丸善で買い求めて読み始めたのは、それから十年後のことであった。

ここで寺田のルクレティウス論の詳細に立ち入ることはしないが、彼がルクレティウスに着眼したこと自体、彼が正統的な科学者であったことを裏付けるものである。科学とは何か、それを知りたければルクレティウスを読め、と彼は若い研究者たちに薦めている。この推薦は西洋科学史に照らして正解だったと言えるのである。ヨーロッパでも異なる分野の科学者が時にして言及するのがルクレティウスで、この古代の哲人は今でも西洋科学の精神を体現する一人と見なされているのだ。

寺田自身もそのことを知っていて、たとえば以下のように述べている。

思うにルクレチウスを読み破る事ができたら、今までのルクレチウス研究者が発見し得なかった意外なものを掘り出す事ができはしないかと疑う。それほどにルクレチウスの中には多くの未来が黙示されているのである。

アンドラデの解説によると、近代物理学の大家であったケルヴィン卿もまたルクレチウスの愛読者であった。すなわち卿の一八九五年のある手紙の一節に「このごろ、マンロー訳の助けをかりてルクレチウスを読んでいた。そして原子の衝突についてなんとか自分流儀の解釈をしてみようと思ってだいぶ骨折ってみたが、どうもうまくできない」と言っている。

ルクレチウスの黙示からなんらかの大きな啓示を受けた学者の数は、おそらく少なくはなかったであろう。アンドラデによると、ニウトンの原子に関する説明を読めば、彼がルクレチウスを知らなかったと想像する事はできないということである。ロバート・ボイルも直接に、またガッセンディを通じて間接にルクレチウスに親しんだ事が明らかである。[26]

以上は寺田が西欧の科学の正道を歩み続けていたことを示す文章であるが、これを読むと、最先端の科学技術に追いつくことを目標にし、しかもそれを国力の増強に役立てることばかり考えていた当時の日本にあって、果たしてどれほどの人が西洋古典に科学の本質を学ぼうとしていただろうかと疑問が湧き上がってくる。今日でもそういう科学者が多くいるとは思えないのである。彼らにとって哲学と科学は完全に別物だというのが常識だし、そういう問題意識すら持っていないのではなかろうか。

寺田はいう、

26　同右、49369－49386/52798

ルクレチウスを読み、そうしてその解説を筆にしている間に、しばしば私は一種の興奮を感じないではいられなかった。従って私の冷静なるべき客観的紹介の態度は、往々にしてはなはだしく取り乱され、私の筆端は強い主観的のにおいを発散していることに気がつく。また一方私はルクレチウスをかりて自分の年来培養して来た科学観のあるものを読者に押し売りしつつあるのではないかと反省してみなければならない。しかし私がもしそういう罪を犯す危険が少しもないくらいであったら、私はおそらくルクレチウスの一巻をごみための中に投げ込んでしまったであろう。そうしてこの紹介のごときものに筆を執る機会は生涯来なかったであろう。[27]

このように興奮する寺田は稀である。彼は心底ルクレティウスに共鳴していたのだ。そういうわけだから、彼は学会や研究会で、ルクレティウスを読むことをためらわず同輩や後進に薦めたのである。では、薦められた側の反応はどうだったか。以下の引用を見てほしい。

私がルクレチウスを紹介した集会の席上で、今どきそういうかび臭いものを読んで、実際に現在の物理学の研究上に何かの具体的の啓示を受けるという事がはたして有りうるであろうかという疑いをもらした人もあった。この疑いはあるいは現代の多くの科学者の疑いを代表するものであるかもしれない。しかし私は確かにそれが可能であると信じる一人である。もちろん科学者の中にはいろいろの種類の性質の人がある。暗示に対する感受性の鋭敏なたちの人と鈍感なたちの人とがある。解析型クラシカル型の人は多く後者に属し、幾何型ロマンチック型の学者は前者に属するのは周知の事実である。暗示に対して耳と目を閉じないタイプの学者ならば、ルクレチウスのこの黙示録から、おそらく数限りない可能性の源泉をくみ取る事ができるであろう。少なくもあるところまで進んで来て行き詰まりになっている考えに新しい光を投げ、新たな衝動を与える何物かを発見する事は決して珍しくはあるまいと思うのである。[28]

彼がルクレティウスを「かび臭いもの」とする「現代の多くの科学者」に言及しているところに注意したい。何ごとも新しいものがよく、古臭いものは捨ててしまえという安易な風潮が科学界にはびこっていることを、彼も痛感していたのである。

これを裏返せば、寺田は日本の科学界からかなり孤立していたということだ。そして、それはそのまま哲学と科学が同じ一つであった西洋の伝統からの、日本の科学技術の距離を示すのである。寺田はルクレティウスの精神に忠実であると同時に、俳諧という日本的伝統にも忠実たらんとしたわけだが、大半の近代日本の科学者はこのどちらからも遠いところに位置していた。彼らは空疎な科学、哲学を持たない科学へと邁進埋没していたのである。

27　同右、50256—50265/52798
28　同右、49395—40403/52798

ルクレティウスの『事物の本性について』が長大な韻文で書かれていることを思い出したい。寺田がそこに見たのは間違いなく科学的精神の精華であったが、それは詩的精神ともつながっていたのである。詩人の魂は、科学者の魂同様、東西に分かれることはない。寺田はルクレティウスに詩人と科学者の見事な結合を見たのである。

第四章　岡潔における数学と詩

多くの日本人にとって、岡潔といえば数学者である以上に民族主義者であるかも知れない。彼が書いたものの中にはたしかに民族主義的な一面があるが、そうした面が彼の最も重要な部分であるとは思えない。岡の数学者としての考え方、人生観、詩歌や芸術に関する思想、そうしたものがより重要なはずである。本稿では彼のそうした側面に光を当てる。数学者としての彼の相貌は数学史家の高瀬正仁が見事に描き出している（『岡潔　数学の詩人』二〇〇八）。本稿では岡の人間的側面、そこから出てくる人生観や芸術観に光を当てたいと思う。総じて言えば、岡潔は民族主義者である以上に普遍主義者なのである。思いのほかに広く深いその思想を、浮き彫りにできたらと思う。

一　数学者・岡潔

数学者岡潔（1901-1978）の専門は「多変数複素関数」と呼ばれる。岡自身は文芸評論家の小林秀雄に自分の専門は「解析」だと言っているが、[1]なるほど数学の世界は代数と幾何それに解析から成っており、岡の専門である関数論はたしかに解析の一部をなしている。「解析的関数」という言葉も存在する。

「解析」であるが、「極限」を対象とするとされており、微分積分に関する研究が中心である。したがって、微分積分が生まれた一七世紀以前には存在しなかった学問分野のように思われがちだ。しかし、考え方としては古代ギリシャにもあったようで、岡も小林に「昔からあった」と言っている。[2]

関数といえば、私たちは中学校の数学で習う。関数とは二つの数の系列があって、一方の数が変化すると、それに応じて他方の数も変化する関係を意味する。たとえば、風呂桶に湯を入れる。湯を入れる時間を一つの系列と考え、桶に入った湯の量をもう一つの系列と考えると、時間が経てば湯の量も増すわけだから、二つの系列は関数関係にあるというのである。

ところが、そのような具体的な関数の概念が、時代が進むと「二つ以上の系列間の関係を定量的に対応づけたもの」という抽象的な意味を持つようになる。先の例で言うなら、風呂桶に入れる湯の量と、湯を入れるのに要する時間との「対応」関係だけに目を向け、どれだけの時間が経ったとか、何リットル湯が入ったとかの具体的なことには目を向けない方向に、発展したのである。そこで重要となるのは、一系列の数量の変化ともう一つの系列の数量の変化が「対応している」という

1　小林秀雄・岡潔対談『人間の建設』新潮社、一九六七、一四三頁
2　同右同頁

関係そのものとなる。数学の発展が具体性から抽象性へ、特殊性から一般性へと移ってきたことの端的な例である。

この対応関係を図形化して、関数とは「写像」のことだという定義もある。ある系列を図Aで表すとすると、その写像である図Bとの関係は対応関係、すなわち関数の関係となる。それゆえ、関数論は写像論ということになるのである。

こうしたことは数学史の本に書いてあるのだが、要するに、関数という概念は具体的な事象から生まれたにもかかわらず、それが極限値を勘案する方向に進んで行くにつれて抽象的な対応関係に関心が移り、その結果、関数自体が極めて抽象的なものになったのである。それではあまりにも抽象的になり過ぎたので、「写像」という可視的な世界に戻ってきた、ということかも知れない。ギリシャの幾何学の図形性が数式世界の抽象性に埋没していたのが、本来の姿を取り戻したということのようである。

さて、岡の専門は「多変数複素関数」ということだから、複数の系列の対応関係において変化する数量が何種類もあり、しかもその数量は実数のみならず虚数をも含むというたいへん複雑なものである。岡がそうした険しい道を選んだのは、それが彼として一生を賭けるに値するものだと判断したからだが、後に見るように、それは当時のヨーロッパにおいて新興の分野で、やり甲斐があると感じたからでもあろう。どうせやるなら数学史上意味のあることをしたい、そう考えたと見てよい。

ところで、複素関数の「複素」であるが、数学では数を一般に複素数で表す。複素数とは実数と虚数で成り立つ数の世界のことで、実数とは複素数の虚数の部分がない場合を指すのだ。数学では複素数のように最も一般的な形を求め、その特殊なケースとして実数あるいは虚数を考える。この考え方は徹底しており、たとえば岡の先輩の高木貞治の『数の概念』（一九四九）を読めば、まさにその考え方が貫徹しているのがわかる。

実数は現実に存在する数で、虚数は現実にはないが想像上は存在するという数である。この奇妙な概念は古代ギリシャにはなかったようで、ルネッサンス期になって考え出され、近代数学では当たり前のものになったようだ。岡は虚数について特別何も言っていないが、現実にはあり得ない虚数という数にすんなり馴染めたのか、それとも単なる約束事と考えたのか、そこは判断に苦しむ。

虚数であるが、この概念があって初めて量子力学が発達し、それが私たちの文明の利器にも応用されているというのだから、これを認めるしかないだろう。だが、本当に「虚から生まれた実」というものがあるのだろうか。虚数こそは想像力が創造の源泉だということの証、そう思ったほうがよいかも知れない。

こんなことをいちいち述べるのは、岡潔を数学者として理解したいからで、彼の民族主義的な面だけを見ようとしても、この人物が正しく見えてこないからである。彼が晩年に随筆などで主張した大和民族の情緒性とか美的感性や自然観と、虚数をも含めた関数論を展開したこととを直かに結びつけることは難しい。しかし、彼の書いたものを細部にわたって見ていけば、何かが見えてくるかも知れないのである。たとえば虚数は想像上のもので私たちの感性を超え、「情緒」とは切り離された観念であるのに、「情緒」の民である日本人である岡はこれを受け止めた。一体、どう受け止めたのか、そこが解きたい謎となって現れる。

岡の書いたものを読むと、彼がドイツの数学者ベルンハルト・リーマン（Bernhard Riemann 1826-66）を深く尊敬していたことがわかる。[3] リーマンはのちに岡が専門にすることになる複素関数論の草分け的存在であっただけでなく、きわめて抽象的な複素数の世界を美しく図形化できる人でもあった。感性と情緒を重んじた岡にとって、そういうリーマンの生み出した美しい図像こそ、数学という抽象世界を信じるきっかけとなったのではないだろうか。

岡の専門の関数論を考えるにあたって、別の角度から、すなわち文学的観点から関数を考えることもできる。先の風呂に湯を入れる例にしてもそうだが、私たちは多くの事象を知らず知らず比例関係で捉えている。そして、その比例関係を言語面に移すとき、隠喩という表現法に至るのである。そう考えると、意外と思えるかも知れないが、関数と詩歌は互いに無縁ではない。

数学史の本を開けば、比例関係は古代のどの文明でも追及の対象となっていたことがわかる。しかし、文明世界だけでなく、いわゆる「未開社会」と呼ばれる社会においても比例関係がその思考の基礎となっているのである。第二章で見た人類学者レヴィ＝ストロースによれば、人類は昔も今も世界を事象間の比例関係、数学的にいえば関数的「対応」として捉えており、その対応の認識を彼は「野生の思考」と呼んでいる。彼がその思考の本質を「隠喩的」と捉えたのは、この思考が現象間の対応関係を重視しているとみたからである（La pensée sauvage 1962 邦題『野生の思考』）。
レヴィ＝ストロースによれば、人類の関数的思考の端的な表れがトーテミズムである。長いあいだ原始宗教として捉えられていたこの現象を、動物系列と社会集団系列との「対応」関係の認識として捉え直したのである。すなわち、人類は関数的思考によって自分たちの社会構造と自然界の構造を対応関係として見ようとしてきた、その端的なあらわれがトーテミズムだというのである（Le totémisme aujourd'hui 1962　邦題『今日のトーテミズム』）。

このことの含意は、数学とは人類に生得のものであり、それを意識的に発展させてきた結果が我々の知るところの「数学」だということである。数学を学ぶとは、したがって、私たちが潜在的に持っている生来の数学を目覚めさせることにほかならないのである。プラトンは数学を学ぶことがイデアの世界への入口となることを示唆したが、なるほど彼の対話篇『メノン』には、我々の記憶から失われた知を「想起」することの重要性が説かれている。

では、世界を関数的に見ることで人類は何を得るのか。「未開心性」を明らかにしようとする人類学も、哲学の祖プラトンも、関数的認識のおかげで宇宙の調和と美が享受できるのだという答えを出している。つまり、それは神話への入口でもあれば、美術への入口でもあり、詩歌への入口でもあると同時に、科学への入口でもあるということだ。

3　岡潔『岡潔集』第一巻、学研、一九六九、四一頁

岡潔は数学とは「調和」を目指す道だと幾度か述べているが、彼もまた宇宙を調和的に見る見方を数学に認めたようだ。以下の言葉がそのことを示している。

数学とはどういうものかというと、自らの情緒を外に表現することによって作り出す学問芸術の一つであって、知性の文字板に、欧米人が数学と呼んでいる形式に表現するものである。[4]

ここで岡が数学を「学問芸術」と呼び、「芸術」という語をそこに含ませていることに注目したい。数学は「自らの情緒を外に表現する」手段であり、「欧米人が数学と呼んでいる形式」を採用して表現するものだと言っているのである。同じことを別の形式で表せば、詩歌にもなり、絵画にもなり、音楽にもなる。岡は「情緒の表現」というくくりによって、数学と芸術と詩を同じひとつの集合に包み込んだのである。

二　発見の喜びと情緒

岡潔が数学と出会ったのは彼が中学生の時だ。夏休みにたまたまウィリアム・クリフォード著の

"The Common Sense of the Exact Sciences"（1885）の邦訳『数理釈義』を読んだのがきっかけで、数学の世界に開眼したのである。クリフォードといえば一九世紀イギリスの数学者で、「幾何代数」という分野を開拓した人として知られる。岡はこの数学者の書を読むことで、代数と幾何が統合されトポロジー（位相幾何学）へと発展する道を、それと知らずに歩み始めていたのである。

岡はその本の中でとくに「クリフォードの定理」に感動したという。彼の随筆集の中で最初に世に出て、その後もずっと読まれ続けている『春宵十話』（一九六三）に、次のような言葉が見つかる。

> 大分変わった本だったが（…）その中で一つだけ非常に印象的なものがあった。それは「クリフォードの定理」で、奇数個の直線は円を決定し、偶数個の直線は点を決定し、直線の数をいくら増やしてもそれは変わらないといった定理だったが、これがいかにも神秘的に思えた。その後も実にいろいろな定理や問題に出会い、そのたびに解けるかぎりは解いてしまったが、この定理だけは、いまだに証明しようと思ったことはない。証明してしまえば当たり前のことになって神秘感が薄れるからである。[5]

ここで重要なのは「神秘感」という言葉だろう。岡は当初から数学の世界を「神秘」の世界と感

4　『春宵十話』（毎日新聞社、一九六三）「はしがき」より
5　同注3、二〇頁

じていたのである。神秘的数学観といえばピタゴラス。数そのものを神聖としたピタゴラスの世界は、多くの数学者の心底に今でも息づいているにちがいない。

とはいえ、「クリフォードの定理」が与えた神秘感だけで、岡は数学者になろうと決めたわけではない。彼が数学を生涯の道として選択するには、高等学校（いまの大学）に入って「アーベルの定理」（現在ではアーベル＝ルフィーニの定理と呼ばれる）と出会う必要があったのである。この定理は「五次以上の方程式には解の公式が存在しない」というもので、岡の心を大きく揺さぶった。数学が多くの難問を解決するばかりでなく、解決の不可能性をも証明できるということを知って、驚愕したのである。そのような「高尚」な学問であるならば、これは一生を賭けるに値する、そう思って数学者になる決意をしたようだ。[6] 一九二二年のことで、その年日本中がアインシュタイン来日で盛り上がっていた。将来は物理学者になりたいと思う青年が、非常に多かった時代である。[7]

岡が数学を選択したことの背後に「発見の喜び」があったことも重要である。この喜びは彼の数学の原動力となったもので、後年までつづく。その最初の体験は高校時代の期末試験のときに起こった。難しい問題をなんとか解いたそのときに、彼は沈黙が支配する試験場で思わず大声を出して、「わかった」と叫んでしまったのである。ほかの学生たちはびっくりしただろうが、岡は全く気にかけなかった。あとの試験を放り出して、「ぶらぶら円山公園へ行き、ベンチに仰向けに寝て夕暮れまで」そこで過ごし、「変にうれしい気持ち」を味わったのである。[8]

同じ試験を受け、同じ問題を解くことのできた学生は、ほかにもあったにちがいない。岡が特別優秀だったという根拠はない。しかし、それを「発見の鋭い喜び」と感じ、残っていた試験を放り出してまでその余韻にふけったのは彼だけだったろう。問題を解けたことが重要なのではなく、解けたことに「鋭い喜び」を感じたことが重要なのである。そのような喜びがあったからこそ、彼は数学の道に進んだのだ。

同様の喜びは数学でなくても味わえるものである。岡の場合は数学だったのであり、天文学者なら新星の「発見」によって同様の喜びを感じ得るだろう。彼もそのことは十分承知で、「発見の鋭い喜び」（一九六三）という文章の中で、アルキメデスの「エウレカ」（我、発見せり）に言及している。そして、この古代の物理学者が裸で風呂を飛び出したのは、自らの発見が「ただうれし」かったからだと強調しているのである。[9]

ところで、アンリ・ポアンカレー（一八五四―一九一二）といえば、岡が終生尊敬したフランスの数学者である。若き日本の数学者たちに、岡はポアンカレーの『科学の価値』（一九一一）を必読書として薦めている。[10] しかしながら、そのようなポアンカレーには「発見の鋭い喜び」への言及がないという指摘も、彼はしている。

6　同注3、二四頁
7　同右
8　同右
9　同右、三四頁
10　同右、一四一頁

近代になってアンリ・ポアンカレーが数学的発見について書いている。すぐれた学者で、エッセイストとしても一流だったが、発見にいたるいきさつなどはこまごまと書いているくせに、かんじんの喜びには触れていない。（…）もし本当にポアンカレーが発見の喜びを感じなかったとすれば、すでにポアンカレーの受けたフランスの教育はかなり人工的になっていたとみるほかはない。[11]

これを読むと、ポアンカレーに「発見の喜び」が実際あったか否かは別として、岡にとって「発見の喜び」が「人工的」教育からは生まれ得ないものとして認識されていたことがわかる。その喜びは「自然」と結びついていたのである。同じ数学でも、それが自然から遠ざかれば「発見の喜び」が薄れる、そう考えていたようだ。

では、そこでいう「自然」とは何か。喜びが情緒である以上、「情緒」と深く結びついているにちがいない。なるほど、人間だけでなく他の生物にも流れているのが情緒で、それは身体と結びついている。前にも引いた彼の言葉を、もう一度引用したい。

数学とはどういうものかというと、自らの情緒を外に表現することによって作り出す学問芸術の一つであって、知性の文字板に、欧米人が数学と呼んでいる形式に表現するものである。

この引用の中で、岡が数学とは「欧米人」のつくった形式だと言っていることを看過するわけにはいかない。今日の日本人には数学が欧米のものだという認識はあまりないかもしれないが、岡の世代の日本人にとって、数学は欧米から入って来たものだった。数学を学ぶとは、西洋文明の一端を学ぶことだったのである。

考えてもみれば、私たちが中学校・高校で習う数学は、すべてこれ欧米で発達したものの輸入である。古代ギリシャの幾何学にしても、代数の方程式にしても、関数にしても、微積分にしても、すべて西洋文明が生み出したものなのだ。古代の中国やインドにも数学はあったし、日本にも和算があったが、それらを私たちは学校で習わない。岡の時代もそうだったのだ。

これを言い換えれば、岡は数学の習得を通じて自らを西洋化したということである。そして、その西洋化を通じて初めて自己を発見し、その自己を表現することで、より普遍的な、しかし必ずしも西洋風ではない新しい数学を生み出すことになったのだ。それは彼の先輩の世代も同様で、前章で扱った物理学者寺田寅彦が通った道でもある。

数学を身につけることがなかったなら、岡は自分が日本人であることをはっきり自覚することはなかったかも知れない。彼が数学の出発点として「情緒」を強調したのも、また日本人とは何より

11　同注3、一四一頁

も「情緒」の民族だと強調したのも、彼が数学という西洋的世界の洗礼を受けたことによると言ってよいのである。

なるほど、数学が情緒の産物だというような考え方は、西洋の数学者の口からは聞き出せそうもない。日本の数学者でも、そのように思わない人が多いのではなかろうか。しかしながら、だからといって、岡が日本文化についての自覚の上に数学「情緒」論を唱えたと考えるのは誤りである。なんとなれば、情緒と数学の関係は、必ずしも日本文化の範囲にとどまる問題ではないからだ。

情緒は日本人だけでなく万人が共有する。犬や猫、クジラやその他の生き物も、共有するものである。ということは、岡の数学観には普遍的な面があるということで、これを日本文化に帰着させることは、せっかく広がった視野を狭めてしまうことになるのである。

上記のことと関連して、岡は次のようにも述べている。高瀬正仁の名著『岡潔　数学の詩人』から孫引きする。

普通正しい意味で数学と云っているものは、主観の世界に生い立った数学を文章の世界へ客観的に投影した云わば影ですから、これがなければ、眼前三寸に一切が備わっていても、誰も何時までも気付かないのです。[12]

つまり、「主観」を数学成立の要件としているのだが、その「主観」と「情緒」は直結するものと言えるだろう。岡がここで「理知」とか「理性」といった言葉を用いていないことは重要である。普通、数学を語るのに「理知」を語らない人はいないのに、そうしていないのだ。

岡は「主観の世界」を形成するものは「文章」という「客観」の世界に直接につながってはいないので、それを「客観」化して「文章」あるいは言語の世界へと変換しなければ数学にならない、と言っている。すなわち、岡にとっての数学とは西洋産のものであるだけではなく、主観を主観のままにせず、それを言語化して客観的なものにすることを意味したのである。この客観化のプロセスは数学にとって必要なもので、それは日本的感性を西洋的言語において表現することで自らの世界を普遍化するということを含み持つ。したがって、岡潔の数学を「日本」に還元することはできないのである。むしろ、岡の「日本」は数学を介して「世界」、あるいは「普遍」となった、そう見るべきなのである。

岡が主観を客観化し普遍化するにあたって「投影」という語を用いていることも興味深い。「投影」とは数学でいう「写像」のことで、とりもなおさず関数論の核である。このことは岡が自身の数学をも関数的に見ていたことを意味する。関数は彼の思考法そのものだったのだ。

ついでに言うなら、数学は「情緒」から生まれるものであるという彼の主張は、今日の脳科学が示すところと合致している。アントニオ・ダマシオは『デカルトの誤り』(Descartes' Error 1994)

12　高瀬正仁『岡潔　数学の詩人』(岩波新書、一一五四)岩波書店、二〇〇八、iv頁

において、生物の「情動」がヒトにおいては意識化されて「感情」となり、それが発達することで理知が生まれると述べているのである。数学が理知の産物であるとしても、その源泉は「感情」であり、さらにその源泉は「情動」ということになる。

さて、岡が情緒を重視し、それを日本文化と結びつけたとしても、彼がこれを人間なら誰でももつものと見ていたことも確かである。数学という西洋文明の生み出したものについても、西洋の数学者の根底に情緒があったからこれが生まれたのだ、と彼は確信していたのである。前述のクリフォードにしても、ポアンカレーにしても、そのポアンカレーの恩師であるシャルル・エルミットや同時代のドイツの数学者フェリックス・クラインにしても、自分はある種の情緒をとおして彼らと繋がっているとかたく信じていた。岡はこれらの西欧人数学者をこよなく敬愛していたのである。

ポアンカレーによれば、エルミットはきわめて抽象的な観念をまるで「生き物」であるかのように語ることができる人だった。クラインについては、まだ十分に証明できていないことでも「直感的」に真実だと思われることはためらうことなくその論を公開した人、としている。岡はそういう芸術家肌の数学者を偏愛したようで、クラインについてはその全集を買い、その中で最も直感に満ちた論文のみ原文で読み、またエルミットについては、その肖像写真を大切に保存したという[13]。岡にとって、彼らは数学世界の理想的存在としてあったが、その根底には彼が何よりも大切にした情緒があったのである。

しかしながら、岡が最も敬愛し、数学者の理想として崇めていたのは、すでに言及したベルンハルト・リーマン（一八二六—六六）である。そのリーマンは、前出のポアンカレーの著書『科学の価値』では以下のように紹介されている。

一九世紀のドイツの数学者で特に目立つのはワイエルシュトラスとリーマンである。この二人によって関数論が発見されたのだ。とはいえ、この二人は正反対であった。ワイエルシュトラスはすべてを数列とその解析的な構造へと還元し、解析そのものを一種の広範囲な算術へと導いたから、彼の数学のどこにも幾何学的な図形は現れることはなかった。一方のリーマンはその反対に、きわめて頻繁に図形を使って自ら用いた概念を説明し、それによって彼の理論はその図形とともに深く印象に残るものとなったのである。[14]

これを読む限り、ポアンカレーは二人の数学者のどちらにも味方していないが、トポロジーの確立者である彼が幾何学的なリーマンのほうを支持したであろうことは想像に難くない。岡の評価も同様であったようで、随筆においてリーマンに触れることはあっても、ワイエルシュトラスへの言及はない。数学は「算術」ではないと信じる岡にとって、以下の文章が示すように、リーマンは理想の数学者であった。

13　岡潔「私の三高時代と京大時代」（『一葉舟』読売新聞社、一九六八）（Kindle）3156/4033
14　Henri Poincaré: La valeur de la science, Flammarion, 1905, p.15

リーマンのように、自分が何を理想としているかをよく見きわめようとし、またそれが可能であることを示すために論文を書いた学者が出た。数学を学ぶ者はリーマンのエスプリを学んでほしい。ガリレオの時代のエスプリ、つまり理性は観念論を破る手段だったが、こんどのエスプリ、つまり理想は悠久なものを望むエスプリである。(…)謙虚になったから理想が見えてきたといえる。[15]

それにしても、数学を学ぶ者はリーマンのように「自分が何を理想としているか」をよく見きわめ、またその「理想」が可能であることを示すために論文を書くべきだという岡の言葉は意味深長である。これはとりもなおさず岡の数学に対する姿勢の表明であり、そのような姿勢を彼はフランス語の「エスプリ」(esprit＝精神)という語で表現しているのである。[16] しかも彼はリーマンとガリレオを比較し、その比較が正当であるか否かは別にしても、ガリレオのエスプリが「理性」だったとするなら、リーマンのは「悠久なものを望むエスプリ」だったという。この「悠久なもの」がプラトン流の永遠のイデアを意味するのだとすれば、それは「理想」という言葉とぴったり合致するのである。岡はリーマンを理想としたが、このドイツの幾何学的数学者はピタゴラス、プラトンの理想主義の正統な継承者であったということで、岡はリーマンを通じて古代ギリシャと繋がったのだ。

ここで岡が中学生の時に初めて数学の洗礼を受けたエピソードを思い出そう。彼は「クリフォードの定理」に感動したのだが、そのクリフォードは幾何代数の創始者だった。その幾何代数はリーマンの存在なしには考えられないものなのである。リーマンからクリフォード、さらにポアンカレ。数学者岡はこの系譜に属する人となった。そしてその淵源をたどれば、遠く古代ギリシャのピタゴラス、プラトンにまで行きつくのである。

三　パリ留学とその後

一九二九年、岡はフランスに留学する。当時の日本人の国費留学生は多くドイツに行ったのに、彼はフランスを選んだ。尊敬するリーマンはドイツ人であったが、もはや過去の人であり、かつて感動を覚えたクラインにしても、すでに他界していた。ドイツに彼の心を惹く人はいなかったのである。

15　同注3、四一頁
16　この表現は岡がアンドレ・ヴェイユと奈良で会食したときに、ヴェイユから聞いた言葉をそのまま使ったもののようである（『一葉舟』参照）。

一方のフランスは、彼が思慕したエルミットにしても、ポアンカレーにしても他界していた。しかし、その次の世代の数学者としてガストン・ジュリアがいた。岡は京大時代にこのジュリアの論文につよく印象づけられていた。[17] ジュリアに会えばきっと道がひらける、と思ったのであろう。留学先をパリに決めたのはそうした事情によるようだ。

ジュリアの論文は関数の「イテレーション」(iteration) についてのものだった。「イテレーション」とは「反復」を意味する語で、ジュリアは同じ関数になんどもその解を代入していくと、しまいに混沌状態になってしまうということを証明したのだそうだ。これを言い換えれば、関数という私たちの世界を構築している基本構造は、同じものが反復されればされるほど崩壊に近づくということになる。岡はこの論に大きく心を動かされたようだ。でなければ、ジュリアの講義を聴くために、わざわざパリまで行く決心をしたはずがない。

数学史家はそのことにあまり注意を払っていないようだが、ジュリアのイテレーション論は熱力学でいうエントロピーの概念の数学版のように思われる。熱力学ではシステム全体の秩序の崩壊過程をエントロピーの増大という形で表現するが、その原理を突き詰めればジュリアのイテレーション論と重なるのである。もっとも、ジュリアが熱力学をどれほど知っていたかはわからないし、熱力学者たちがこの数学者を知っていたかどうかもわからない。

さて、岡はジュリアを求めてフランスに留学したのだが、ジュリア式の数学論文を書こうとして挫折してしまう。自分の歩むべき道はそこにはないと悟ったようだ。先人の歩んだ道を辿るだけでは袋小路に陥ってしまう。自らが当初抱いていた理想を忘れ、「発見の喜び」を忘れ、研究の幅を知らず知らずに縮めていたのかも知れない。

これを見たジュリアのほうも、遠い東洋から来た若き数学者を迷わず叱った。「若い人たちがそういうことをするようでは到底見込みがない」と。[18] この叱責が岡を目覚めさせたにちがいない。こういう鉄拳を喰らわせる優れた師匠を得たことは、岡にとってまことに幸運なことだった。

その後の岡はどうなったか。幸いにして、当初の目的どおり、フランス滞在中に一生を賭すに値する研究課題「多変数複素関数」を見つけることができた。これも、ジュリアのお陰であるというのも、ジュリアの研究を発展させていけばそこに行き着き、事実、パリではすでに何人かがそれに着手しようとしていたからだ。そこには未解決の問題が多々あった。だからこそ、やり甲斐があった。

岡が日本に戻ったのは一九三二年である。その二年後、彼は丸善でハインリッヒ・ベンケとペーター・テューレンの共著"Theorie der Funktionen mehrerer komplexer Veränderlicher"を発見する。日本語に訳せば、まさに「多変数複素関数論」。このドイツ語の書の刊行は一九三四年であるから、岡は出来立てほやほやの書と出会ったことになる。自分が研究しようとしているまさにその課題を扱っているこの本を勉強することで、彼の研究の基礎は固まった。

17　同注12、三四－三六頁
18　同注12、六八頁

岡が独自の関数論を展開し始めたのはその二年後である。前出のベンケとテューレンの書で未解決だった問題にひとつひとつ取り組むことにし、一九三六年、最初の論文を書き上げた。これも含めて一九六一年に最後の論文を書き上げるまで、彼の書いた数学の論文はすべてフランス語で書かれている。[19]

ドイツ語は読めたし、英語もできたにもかかわらずフランス語で書いたのは、パリ留学時代にジュリアの指導を受けたことが大きいと思われる。ジュリアは岡にフランス語で書くときは「句読点に気をつける」ように、と教えたのである。句読点、これは論理の展開を示すのに最も重要なもののひとつである。

一九六一年は岡の関数論が一応の完成を見た年で、この年彼はそれまでに書いた論文を集めて一冊の本にした。題して『Sur les fonctions analytiques de plusieurs variables』[20]、日本語にすれば「多変数解析関数について」である。自分の主業績を多くの同国人が読めない言語で書いたのは不思議なようでもあるが、岡自身が数学とは「西洋」の形式において自己の「情緒」を表現することだと言っていたことと呼応する。一方、眼をヨーロッパに転ずれば、フランスにはアンリ・カルタンやアンドレ・ヴェイユのような同好の士がいたし、ドイツには前出のベンケらがいたのだから、フランス語で論文を発表することには必然性があったのである。

ところで、一冊の論文集を出すよりはるか前から、彼は自分の書いた論文をヨーロッパの同好の士にときどき送っていた。一九三八年に書いた第三論文をカルタンとベンケに送ったところ、この二人はそれを読んでいたく感動し、すぐにも岡に返事を書いたようだ。ところが、その返事が岡のもとに届いたのは約一年後。いろいろな事情で勤め先の広島大学から遠ざかっていたため、すぐに受け取ることができなかったのだ。

受け取ったのは手紙ではなく、葉書。送り主はカルタンとベンケほか二名で、これらの誰ひとり岡に会ったことはなかった。その葉書には、次のような温かい、そしてユーモアに満ちた文言が書かれていた。

クザンの問題に関するあなたのすばらしいお仕事の中に、はっきりしない点がひとつ残されていることにわたしたちは気づきました。それは、Oka というお名前はイギリス風とフランス風のどちらの流儀で発音するべきなのだろうかということなのです。[21]

つまり、論文自体は「すばらしく」、疑問点は彼の名前を「オーケー」と読むべきなのか、「オカ」と読むべきなのか、それだけだと言っているのである。これを読んで岡がどう感じたか、それについて彼は何も言っていないが、当時の彼の学問世界における孤独、勤め先からも見放され、事

19　実際にはこのあとにも論文を書いていた痕跡がある。奈良女子大学のウェブサイト「岡博士のこと」参照。
20　岩波書店から刊行された。
21　同注12、一四六頁

実上無職となっていた状況などを勘案すると、この欧州からの便りは大きな励みになったと推察される。そこには、自身の論が共感を呼び、賞賛の対象となったことが告げられているだけではなく、「オカ、オマエも俺たちの仲間だぞ」という親愛のメッセージが籠められていたからだ。

このメッセージが送られたのが一九三八年であったということは、世界史的観点から見て意味深い。それはナチス＝ドイツがポーランドに侵攻し、第二次大戦がはじまる前夜であり、一方の日本は中国に侵出し、ナチス＝ドイツと協定を結んで軍国主義化を強めていた時期なのである。そういう時期に、ドイツとフランスの数学者が日本の数学者と数学という万国共通の絆で結ばれていたのだ。なるほど岡が言っていたように、そこには「理想」探求のエスプリがあったのであり、それは国家や民族や文化をはるかに超える、「高尚」なものだったのだ。

戦争が終って三年、一九四八年に岡は第七論文をカルタンに送ろうとした。しかし、戦後の混乱が続いていた当時、日本からフランスへの直接郵送は不可能な状況だった。それで岡はその論文をアメリカに行く知人に託し、その知人にアメリカ在住のフランス人数学者アンドレ・ヴェイユ（シモーヌ・ヴェイユの兄で、カルタンと一緒に匿名数学者集団ブルバキを構築した人物）に渡すようにと頼んだ。ヴェイユはそれを受け取るとすぐに読み、その内容に感銘を受けてパリにいる友人のカルタンに送った。カルタンもこれに感銘を受け、その二年後フランス数学会誌"Le Bulletin de la Société Mathématique de France"の巻頭にこれを掲載したのである。国際的に岡が認められる契機となった論文である。

その後徐々に世界平和が回復されるにつれ、欧米から日本へわざわざ岡を訪ねてくれる数学者も現れた。最初の訪問者はカルタンの弟子のジャン＝ピエール・セールで、その次に前出のアンドレ・ヴェイユが訪れた。一九五五年のことである。その次には五八年にカール・シーゲルが訪れた。シーゲルはとくに岡の第十論文の冒頭の言葉に共鳴したのであった。その冒頭の言葉とは、

私がこの論文を書き終えて感じていることを説明するために、遠い昔から日本民族に固有の感情である季節感に訴えたいと思う。今日の数学の進展には抽象に向かう傾向が見られる。われわれの研究分野においてさえも、諸定理はますます一般的になり、それらのうちのいくつかは複素変数の空間から離れてしまった。私はこれを冬だと感じた。私は長い間、もう一度春がめぐってくるのを待ち続けた。そうして春の気配を感じさせてくれる研究をしたいと思った。この論文は一番初めに摘まれた果実である。[22]

ここで岡があえて「日本民族に固有」の季節感に言及しているのは興味深い。しかもそれを彼は「感情」と呼んでいるのである。季節感はどの民族にもあろうし、欧米諸国なら四季の区別もある。

22　同注12、一〇二頁

しかし、それを感情の表現としているところに、「古今集」以来の日本詩歌の伝統が見てとれるのである。

岡は同時代の数学の傾向を「冬」と呼んだ。「冬」とは停滞よりも不毛を意味する。数学が抽象化、一般化を目指すことはその性格上避けがたいことと思われるが、それでも岡は数学の「冬」に言及する。その根拠はというと、彼自身が携わっている複素関数論にしても、「複素空間」を離れてしまったから、というのである。

複素空間といえば、岡が生涯尊敬した複素数空間の図形化を実現したリーマン、それと彼が青年時代に偏愛したエルミットとつながる世界だ。関数論がそこから離れてしまい、実体を完全に失ったことを、岡は何の実りももたらさない「冬」と表現したのである。

無論、四季はめぐる。いつまでも冬が続くわけではない。そこで数学の世界に春をもたらすために自分は論文を書いた、と彼は言うのである。数学のわからない者には、岡の論文のどういう点が「春」なのかはわからない。わかるのは、岡が西洋の数学界に向けて「日本民族」の伝統を持ち出したことであり、その伝統を具現すべく数学をしていると明言したことである。岡は不毛になりがちな同時代の数学に、西洋とは別の伝統を持ち込むことでこれに活力を与えようとしたのだ。

さて、岡の研究に最も近い研究をしていたカルタンは、当時のフランス数学界を代表する人物だった。先に引用した葉書でも岡を激励していたように、岡の数学者としての価値を真に理解する人物のひとりであった。その彼は岡について以下のような文章を残している。

（私が研究していたのと）同じ諸問題が日本で岡潔によって独立に究明された。先行する岡の美しい作品の数々は、イデアルに関する研究へと私を導いてくれたのである。私の作品I・F・A（「n個の複素変数の解析関数のイデアル」の略称）を知ることもできない状態で、一九四八年、岡は一篇の論文（第七論文を指す）を執筆した。岡はそこで同じ問題を研究している。ただし、用語は少々異なっている。この「フランス数学会報告」の同じ巻に掲載される論文において、岡は上述の鍵となる問題のうち、第一問題を解決している。それゆえ、私の一九四四年の論文の果実よりも完全な果実を獲得していることになるのである。[23]

ここでカルタンがいう「イデアル」とは数学用語で、ある複素数集合の全体の構造と全く同じ構造をもつ部分集合のことをいう。言ってみれば、集合の雛形である。岡はこの「イデアル」論を自分の研究を全く知らないのに突き詰めた、そうカルタンは高く評価したのである。

もっとも、ここに登場する一九四八年の論文は、実はカルタンの研究を踏まえての「イデアル」論であったことを前出の高瀬正仁は指摘している。カルタンが岡に啓発されたように、岡もまたカルタンの刺激を受けていたのだ。要するに、二人は互いを直接には知らなかったにせよ、実りある

23　同注12、二〇六—二〇七頁

数学上の交流をしていたのである。数学者としての岡は、日本では「孤高」だったかもしれないが、国際的には決して孤独ではなかったと言える。

実際、岡とカルタン、二人は数学上の友だった。岡はしばしば身近にいた人々にこう言っていたそうだ。「この人（カルタン）だけは懐かしいという気がする」と。[24] 岡が「懐かしい」と思った人は、パリ留学中に知り合った中谷治宇二郎を除けばほとんどいない。このような事実を捨象して、岡を「日本」にばかり縛りつけてはいけない。

また、岡のいう「懐かしい」には特別の意味がある。それは彼において、いまだ見たことがないものながら、自身の奥底に眠っているものを意味する言葉であり、プラトンの「想起」(anamnesis)に似て、「理想」とつながる言葉だったのである。[25]

ところで、数学における「イデアル」という考え方にたどり着くには、岡自身さまざまな葛藤があったようだ。しかし、彼が愛した詩人が芭蕉であったことを知る者からすれば、それは当然の帰結であったようにも思える。なんとなれば、「古池や蛙飛び込む水の音」を宇宙構造の雛形であると捉えるならば、芭蕉の句の少なくとも幾つかは宇宙構造の「イデアル」であると言うことができ、岡はそれについて明識はなかったかも知れないが、彼の関数論の根底にあるものとつながるものだからである。

それにしても、「この人だけは懐かしい」と岡に言わしめたカルタンについて、晩年の岡が次のように言っていることには驚かざるを得ない。

わたしはカルタンの論文を読んで近況を知ると、わたしには彼らは唯漫然と結果さえ新しければよいというのでやっているように見えた。…不動の目標を持っているものとそうでないものとの違いがどうしても研究ぶりに現れてしまうのである。[26]

つまり、彼はカルタンの仕事には過程よりも結果を重視する姿勢が見られ、「不動の目標」を追う姿勢が見られなくなったと言っているのだ。ここでいう「不動の目標」を「理想」と言い換えてよい。若き日の岡は「理想」を求める真のエスプリをリーマンに見て、それについてゆこうと決心した。そのようなエスプリがカルタンには欠けている、そう見たのである。

自分の研究をかくも高く評価してくれたカルタンについてもこのように言ってしまう岡にとって、重要だったのは自分の論文が評価されるか否かではなく、数学の理想そのものだったのである。彼には友情以上に、理想の方が大切だったのだ。あるいは、理想を共有できる人だけが、友人だったのである。

24　同右、二〇八頁
25　同注3、四三頁
26　同注12、一八八頁

一口に数学といっても、二つの考え方があるようだ。ひとつは、数学というものは人間が作ったものではなく宇宙に内在しているという考え方である。ピタゴラスなどはそう考えていた。彼にとって数そのものが神聖であり、あらゆる事物の本質をなすものであった。天体の動きも数理の具現であり、だからこそその運動は調和と秩序に満ちていると見たのである。数が神聖であるなら、それを利用して生活の向上を図ることなど数への冒瀆にほかならなかった。現代人の数学を見たら、激怒を超えて絶望したろう。

もう一つの考え方は、現在多くの人がそう思っているように、数学は人間の発明によるもので、人類文明の一財産だというものである。この考え方があまりにも普及しているために、一部の科学者たちがいまだに数学が宇宙に内在するという古来の考え方を保持していることが忘れ去られるほどだ。

近代科学の創始者たち、すなわちガリレオやケプラー、ニュートンなどはピタゴラスの影響下にあった。科学史家アレクサンドル・コイレは、彼らにおけるプラトニズムを重視したが（『閉じた世界から無限宇宙へ』一九五七）、そのプラトニズムの基底にはピタゴラスがあったことを忘れてはなるまい。ガリレオは自らの科学の精神を、「試金者」（Il Saggiatore, 1623）という文章のなかで、以下のように説明している。

哲学というものは宇宙という偉人な書物に書き込まれているのです。それは私たちの眼前に広がっています。しかし、その書物を解読するにはその言語を習い、文字の一つ一つを習得する必要があります。そして、その言語は数学という言語であり、その文字とは三角形であったり、円であったり、そのほかの幾何学図形であったりするのです。これらを習得しなくては、この偉大な書物のほんの少しでも理解することは我々人間には不可能です。それらの習得がなければ、この偉大な書物はただの闇、ただの迷路にすぎないのです。[27]

ガリレオが「科学」と言わず「哲学」と言っていることに注目したい。彼の時代において哲学と科学は同じものだったことがわかる。時代が下り、現代に近づけば近づくほど、この二つは別物になっていく。現代文明の大きな問題の一つは、科学が哲学を置き去りにしたことである。

ガリレオの引用で重要なのは、「宇宙」は「数学」という言語で書かれている書物だという主張である。この主張は現代の科学にまで持続するもので、科学の本質を言い当てたものといえる。科学とは、人間が考え出したものではなく、宇宙に内在するもの。しかもその科学を理解するには、

27　Stillman Drake: Discoveries and Opinions of Galileo (New York, Doubleday & Co., 1957) in https:// web. stanford. edu/~jsabol/certainty/readings/Galileo-Assayer.pdf , p.4

数学という言語の理解が絶対に必要だというのである。この考え方は、ピタゴラスとプラトン以来、西洋科学思想の根幹をなすものとなっている。

右の引用でもうひとつ注意すべきは、ガリレオにとって数学とは幾何学だったということである。彼はルネッサンスの影響を受けた人であり、ルネッサンスの数学にはアラビア数学、すなわち代数が入っていたにもかかわらず、代数は計算法であって、「哲学」（＝科学）にふさわしいものとは考えられていなかったようだ。この状況が変わるのはおそらく一八世紀で、数学に異変が生じた。すなわち幾何学が後退し、代数が独自性を発揮して数学の舞台の中央に進出したのである。この変化が人類の思想史にもたらしたものは驚くほど大きい。数学は宇宙に内在しているのではなく、人間が考え出したものだという人間中心の考え方が普及するようになったのである。そして、それは現在まで続いている。

たとえば、今日の一般人向けの数学史の本の序文を見てみよう。そこには、次のような言葉が見つかる。

「数学」は人間理性が作り上げた最も古くて、最も深く、そして最も純粋な学問である。[28]

数学は人間理性の産物だというのである。その理性がどこから来たのか、それは問題にしていない。

そうはいっても、二〇二〇年度ノーベル物理学賞に輝いたロジャー・ペンローズは『The Large, the Small and the Human Mind』(1997) において次のように述べている。

人によっては、数学的概念は私たちの物質世界の理想化によって生まれたものと考えたがるようだが、(…) 私にはそうは思われないし、私以外の数学者も、また数学的な物理学者たちも、そうは思わないだろう。私たちは数学を無時間的な数学的法則によって成り立つ構造として捉えているのであり、その結果、物理的世界を数学的世界から生まれ出たものと見なすことを好むのだ。[29]

このように、現在でもピタゴラス＝プラトン主義は科学者の中に生きつづけている。「はじめに数学ありき」の思想、これを間違っていると誰に言い切れるだろう。

さて、それでは本稿の主人公・岡潔の数学観はどういうものだったか。彼は数学を宇宙に内在するものと思っていたのだろうか。それとも現代人の常識に則って、人間が考え出したものと受け止めていたのだろうか。すでに見たように、彼は数学を西洋の表現形式としていた。したがって、数学を人類の生み出したものと見ていたと推察できる。しかし、仮にそうであったとしても、彼にと

28　中村滋・室井和男『数学史　数学五〇〇〇年の歩み』共立出版、二〇一四、iii頁
29　Roger Penrose: The Large, the Small and the Human Mind, Cambridge University Press,1997, Kindle Edition No.155.

って数学とは「表現」の形式にすぎなかったから、そこで「表現」されるものが何であったのかという問いが残る。

岡はその答えを「情緒」という言葉に託した。情緒が数学の生みの親だというのである。では、その情緒は一体どこから来るのか。

ここで参考になるのが岡の次の言葉である。彼は数学者を野原に咲く「すみれ」の花になぞらえているのだ。

> よく人から数学をやって何になるのかと聞かれるが、私は春の野に咲くスミレはただスミレらしく咲いているだけでいいと思っている。咲くことがどんなによいことであろうとなかろうと、それはスミレのあずかり知らないことだ。咲いているのといないのとではおのずから違うというだけのことである。私についていえば、ただ数学を学ぶ喜びを食べて生きているというだけである。そしてその喜びは「発見の喜び」にほかならない。[30]

このように、数学をする自分をスミレの花に喩えるのが岡という人なのである。

つまり、岡は数学を自然の生み出したものと見ていた。人間が数学を発明したと認めるにせよ、彼はその発明そのものが人間の意思の産物ではなく、自然のなせるわざと見たのだ。言い換えれば、彼には、人間に数学を与え、春の野に花を咲かせる主体としての「自然」があった。すべては自然のなせるわざということで、その自然の意思は、人間の、そして動植物の、「あずかり知らない」ことだったのである。

ところで、スミレの花といえば芭蕉の「菫草」が思い出される。芭蕉を自らの道を照らす先達と思っていた岡であるが、彼が右の文章を書いたとき芭蕉を念頭に置いていたかどうか。芭蕉を知り、岡をも知る者は、「山路きてなにやらゆかし菫草」の句を思わずにいられない。

以上要するに、岡にとって数学は自然の懐に抱かれたものであり、そこにある種の懐かしい気持ちをもって近づくことが彼の数学行路だったのである。関数論の険しい「山路」を登りながら、時として彼は道端に咲く「菫草」に、数学の本来の姿を見出していたのだ。

さて、数学を「スミレ」花にたとえた岡の発想は、本書第二章で扱った人類学者レヴィ＝ストロースの『野生の思考』（La pensée sauvage,1962）とも重なる。「野生の思考」とは人類の野生状態における思考、すなわち思考の原初型を意味するが、同時にフランス語でpenséeは三色スミレのことなのである。著者レヴィ＝ストロースは洒落たわけではない。「野生の思考」の本質的な隠喩性を表象するために、思考とスミレの二重性に見合う表題を自著に冠したのである。人間は野原に咲くすみれ花のように考える。この人類学者の発想は、そのまま岡の発想に結びつく。

30　同注３、三一頁

五　情緒

岡が数学を絵画にたとえ、情緒の表現であると強調したことはすでに述べた。彼にとって、数学と芸術や詩歌は本質的に異なるものではなかった。とはいえ、彼はそれらを全く同じと考えていたわけではない。数学には「科学的」な面があり、これは芸術にはないものだと明言している。[31]では、彼にとって芸術とはなんだったのか。彼はこれを数学を補うもの、数学とともに人間が備えていなければならないものと捉えていた。数学にとっての「ベターハーフ」とも言っている。このような語を用いるからには、彼の理想として芸術と数学の結婚があったにちがいない。そうであればこそ、第二次大戦後の数学界の「冬」景色は彼にとってあまりにも冷たく、人間の血の通わないものに思えたのである。

さて、岡が数学を情緒の表現方法と見る一方で「科学的」でもあると述べている、そこでの「科学的」とはどういうことか。以下の文章を見ると、それが「理性的」と重なるものであったことがわかる。

できる前には予感がある。ほのぼのとあたたかく、面白くなる。所で出来るから予感があるのではない。所謂予感があるからできるのである…それで感情が問題になる。

然し外に理性的なもの　—姿や、ここの発見。これはあるし、いる。[32]

先に「感情」があり、あとから「理性」がついてくると言いつつ、数学には「理性的」なものが必要で、それによって「科学」となると見ていたのである。

では、彼がいう「感情」は「情緒」と同じものなのだろうか。右の文章からははっきりわからないが、彼の他の文章から察するに、この二つは微妙に異なるものであり、前者を後者の特殊な形と見ていたことがわかる。しかも、後者が人間の心の奥底にあるとすれば、前者は表面に浮かび上がってくると区別していた。岡において数学の根元には「情緒」があったが、それが具体的な形をとるには、「情緒」が「感情」へと昇華される必要があったようだ。

この「情緒」に関する見方は前出の脳科学者ダマシオの論を先取りしていたと言える。岡はダマシオの名が世に知れわたるよりはるか前から脳科学に興味を持っており、そのことは『春宵十話』その他の随筆に表れている。たとえば『春宵十話』には、以下のような文章が見つかるのである。

頭で学問するものだという一般の観念に対して、私は本当は情緒が中心になっているといいたい。(…)情緒の中心が実在し、これが身体全体の中心になっているのではないか。その場

31　同注12、iii頁
32　同右、六―七頁

所はこめかみの奥のほうで、大脳皮質から離れた頭の真ん中にある。ここからなら両方（交感神経と副交感神経）の神経系統が支配できると考えられる。情緒の中心だけでなく、人そのものの中心がまさしくここにあるといってよいだろう。[33]

このほかにも「大脳前頭葉」といった語がしばしば岡の随筆には顔を出す。彼は人間の感情だけでなく理知をも、生物学的に、あるいは生理学的に理解しようとしていたのである。

岡が『春宵十話』のような随筆を書き始めたのは、人間にとって最も重要な部分である「情緒」をいかに守り育てるかが彼の主要関心事となってからである。それは一九六〇年代のことで、彼の数学的業績が一応のまとまりを得た後のことだ。情緒の教育が主要関心事となったのは、日本の戦後教育にはこれが完全に欠如していると見たからである。そこに彼は文化の危機を見たのだ。「情緒」を度外視した教育は有害で危険である、と彼は繰り返し訴えた。その論を展開するにあたって援用したのが、脳科学だったのである。

当時、脳科学はまだそれほど脚光を浴びていなかった。脳科学者の文章が広く読まれるようになったのはつい二〇年前、二〇世紀も終わり頃だ。そうした中でも最も多く読まれていると思われるダマシオの『デカルトの誤り』（Descartes' Error 1994）の一節を見てみよう。岡の考えに似たものが見つかる。

人間の理性は脳の幾つかのシステムに依拠するものであって、それらがいくつもの神経組織の境界を越えて協働してはじめて機能するものだと言いたい。理性を司る一つの中心が脳の中に存在するわけではないのである。(…) 同じ脳神経組織といっても上部と下部に分けられ、とくに下部は情動と感情を調整するもので、これは生存のために必要な身体機能と結びついている。そして、そうであることによって上部組織と身体各部を結びつけ、これによって人間は思考し、意思決定し、さらには社会的行動を選択したり、なにかを創造する力を発揮できるのである。つまり、理性が働くためには、情動、感情そして生物としての自己制御機能がはたらいていなくてはならないのだ。[34]

ダマシオのもう一つの著書『自己と意識』(The Feeling of What Happens 2000) のほうが、さらに岡の考えに近い。「情動」(emotion) と「感情」(feeling) を区別し、前者が変化する環境に対する生体の自己調整によって生じるものであるのに対し、後者はその「情動」が快・不快とか恐怖・安心というふうに分類され、イメージ化された記号となっていると説明しているのである。ダマシオによれば、それらの記号が私たちの意識の中核となることによって、初めて「理性」が生まれる。[35]

33　同注3、一三頁
34　Antonio Damasio : Descartes' Error, Emotion, Reason, and the Human Brain, Penguin Books, 1994, p.xvii
35　Antonio Damasio : The Feeling of What Happens, Vintage, 2000, p.55

したがって、理性を育てるには、まず動物的「情動」を人間的「感情」に昇華させることが必要だということになる。

ところで、このダマシオの論が西欧においては、特にその当初専門家からも一般読者からも歓迎されなかったことは注目に値する。[36] 一方の岡の情緒論は、日本の読者に好感をもって受け入れられたのである。この反応の違いは、日本と西欧の情緒に関する考え方の違いを反映していると言えそうだ。

ダマシオの西欧は依然としてデカルト的合理主義が根強く、情緒と感情とが理性の下位に置かれ、ロマン主義的な反合理主義者以外は、これを思考を妨げるものと見なしてきたのである。これに対して岡の日本は、理性よりも情緒を重視する傾向が伝統的にあり、岡がそのような伝統が崩壊しつつあることについて発した警告は、同時代の日本人読者に訴えるものがあったのである。岡によれば、日本人の特性は情緒的理解に端的に表れている。

日本民族は昔から情操中心に育ってきたためだろうが、外国文化の基調になっている情操の核心をつかむのが実に早い。聖徳太子の「法華経義疏」などは太子一代で仏教の核心をつかんでしまっている。[37]

彼のこの主張は説得力を持つ。というのも、『日本書紀』(七二〇)における仏教受容を記述した箇所に、経典の理解に先んじて仏像のたぐい稀な美しさに人々が魅了されたことが記されているからである。理論を理解し、それによって仏教の価値を知ったのではなく、仏像という目に見える形をつうじてその背後にある思想の奥深さを直感する。これが日本式の思想理解なのである。

情緒が発達不全になったら、日本人のよいところはなくなってしまう。その兆候を戦後の日本に見たからこそ、岡は随筆を書くことで世人に訴えようとしたのである。彼にとって情緒的伝統の衰退は敗戦よりも悪いことだった。敗戦がある種の必然と見えていた彼には、戦後の文化的混乱のほうが恐ろしかったのだ。なんとなれば、それは日本の将来に暗雲を投げかけるものだったからである。

このような岡の思想を日本思想史に位置づけるなら、情緒の重要性を強調した十八世紀の思想家・本居宣長の継承者と言ってよいように思われる。宣長が情緒を強調したのは、当時の江戸文化の中枢に朱子学があり、その合理主義が知識世界を席巻していたからである。宣長は日本古来の情緒中心の世界観が崩壊しつつあると見て、「もののあはれ」を知ることの重要性を説いた。岡は戦後の日本の混乱を見て、似たような主張をした。二人の発想の根源は近かったのである。

しかしながら、両者の思想を見比べると決定的な違いも見つかる。岡が情緒の志向するものとして「理想」さらには「宗教」を考えたのに対し、宣長にはそれに相当するものがなく、あらゆる情

36　同注34 pp. ix-x
37　同注３、三九頁

緒を肯定的に捉えているのである。この違いは、岡が近代日本の軍国主義およびその結果として生じた敗戦を経験していたことと関係するだろう。日本人の長所は情緒的理解力であると彼は言い、それが「直観」という形をとって行動に移されやすいことを見た上で、「それだけに直観の内容というのが大いに大切になってくる」と言っているのである（「日本人と直観」）[38]。同じ「情緒」から生まれる「直観」であっても、仏像の美しさから仏を信じるのと、ある一つのイデオロギーを唯一絶対と信じ込んでしまうのとでは大いに異なる、ということだ。

岡と宣長のちがいは、宗教のレベルで言えば仏教と神道のちがいということにもなろう。日本仏教も神道も情緒を重んじてはいるが、前者には情緒への否定の契機が含まれているのに対し、後者にはそれがない。言い換えれば、岡のいう「理想」という契機が、後者には含まれていないのである。「理想」を重んじる岡にとって、神道だけでは不十分だったということだ。事実、敗戦後、岡は仏教に心の拠り所を求めている[39]。

岡と仏教との出会いを考えるに際して忘れてはならないのは、彼がフランス留学から帰ってすぐに道元と芭蕉に精神の活路を求めたことである。道元は曹洞宗の開祖で、日本に禅仏教をもたらした人だ。芭蕉は俳諧文学の巨匠であるが、その彼も禅に親しんでいたのである。岡にとって、この二人は日本的伝統の具現者であった。鈴木大拙同様、禅仏教に日本の心を認めたのである。

では、禅仏教のどこが「日本の心」なのか。鈴木大拙の『日本的霊性』（一九四四）を読めば、禅が日本人古来の自然に対する情緒を包括しつつ、それを「霊性」にまで高めていることが見てとれる。鈴木はそれを、禅には「否定の契機」が含まれていると説明しているのである。彼によれば、「山は山でない」からこそ「山は山である」という論理が禅の本質だ。無自覚の肯定から否定へ、そこから自覚的肯定が生まれる。

一方、否定の契機を持たない神道的世界では、「山は山である」が最初から真実として受け止められる。情緒と直観を信じつつも高い「理想」を追い求めた岡にとって、神道では不十分であったことがこれでわかる。

すでに述べたように、岡は数学の「理想」をリーマンに見た。この「理想」は、その淵源を探れば古代ギリシャに行きつく。プラトンである。では、岡はプラトンについて何か述べているだろうか。「学を楽しむ」（一九六二）という文章の中で、たしかにプラトンに触れている。

（日本人は）西洋文化についてはそんなにわかりが早くはない。特にギリシャに由来するものは、西洋文化と接触を始めてからかなり年月が経つのに、まだよく日本にはいっていない。

ギリシャ文化の系統といっても、二つの面がある。一つは力が強いものがよいとする意志中心の考え方である。（…）この部分は決して取り入れてはならない。何事によらず、力の強いのがよいといった考え方は文化とはなんのかかわりもない。むしろ野蛮と呼ぶべきだろう。

38　同右、五八頁
39　同注3、五三頁

しかし、ギリシャ文化にはもう一つの特徴がある。それは知性の自主性である。これはまだほとんど日本にははいっていない。文化がはいっていないということは、その文化の基調になっている情操がわかっていないということにほかならないが、ぜひこれは取り入れてほしいものだと思う。

知性に、他のものの制約を受けないで完全に自由であるという自主性を与えたのはギリシャだけだった。インドでもシナでも知性の自主性はない。これらのくにで科学が興隆しなかった理由がそこにある。数学史を見ても、万人の批判に耐える形式を備えたものはギリシャに由来するものだけで、したがってギリシャ以前は数学史以前と呼ばれている。知性は理性と同一ではなく、理想を含んだものだと思うが、はっきりと理想に気づいたのもギリシャ文化が初めてだった。これを代表しているのがプラトンの哲学である。[40]

これを読むかぎり、岡は日本人にプラトン哲学を身につけてほしいと思っていたようだ。すでに述べたように、プラトンは数学を重視し、それが西洋近代の科学に深い影響を及ぼした。日本人は江戸中期から西洋の科学を学習してきたが、その淵源となるプラトンを学ばずに科学の受容をつづけてきた。それゆえ日本近代の基礎は弱い、と見たのである。

六　数学的自然

岡が同時代の数学に「冬」を感じていたことについては、すでに見た。しかし、その一方で、数学の理想の原点へと還ろうとする動きも現代数学には見られる、と彼は言っている。すなわち、数学者たちはその原点である「自然」を観察し始めたというのだ。[41] これは、彼が「冬」景色のなかに「春」の兆しも見ていたことを意味する。岡の数学観が一箇所で止まっていなかったことがわかる一例である。

それにしても、彼が考える数学の「理想」と、「自然」の観察とは、どう関係するのだろうか。自然とは、そもそも何を意味していたのだろう。

理想とか、その内容である真善美は、私には理性の世界のものではなく、ただ実在感としてこの世界と交渉を持つもののように思われる。理想の姿を描写したことばを紹介できないかと思って随分探したけれども、一つも見当たらなかった。しかし理想の姿がとらえたくて生涯追求してやまなかった人たちは古来数多くあげられる。この事実こそ理想の本体、したがって真

40　同注3、四〇頁
41　同右、四四頁

善美の本体が強い実在感であることを物語るものではあるまいか。[42]

このようにいう岡は、「理想」を「感情」へと還元し、ある種の実感として捉えているのである。そして、その根拠として、理想は示せるものではなく、求められつづけるものだと言っているのだ。プラトンのように、理想そのものを実在として見る理知的な客観主義をとらず、あくまでも感情中心の主観主義を貫いているのである。

しかし、そうであってもなお、彼の理想論がプラトンのそれに符合しつづけていることは否定できない。

理想はおそろしくひきつける力を持っており、見たことがないのに知っているような気になる。それは、見たことのない母を探し求めている子が、他の人を見てもこれは違うとすぐ気がつくのに似ている。だから基調になっているのは「なつかしい」という情操だといえよう。これは違うとすぐ気がつくのは理想の目によって見るからよく見えるのである。[43]

要するに、理想とは「なつかしい」と感じる心の求めるものだというのである。芭蕉の「なにやらゆかし」に通じると同時に、プラトンのいう「想起」(anamnesis)に符合する考え方である。

では、岡の「数学的自然」。これは何を意味するのだろうか。数学が情緒の産物であるとするなら、ここでいう「自然」は外界の自然ではなく、私たちのなかの自然であるにちがいない。これについては、彼の以下の言葉が参考になりそうだ。

心の中に数学的自然を生い立たせることと、それを観察する知性の目を開くということの二つができれば数学がやれることになる。心の中に数学的自然を作れるかどうか、これが情操によって左右されるとすれば、よい情操を培うことの大切さは、いくら強調しても強調しすぎるということはないだろう。[44]

岡はここで「数学的自然」は「情操」に発し、「情操」とは心の中に培われるものだと言っている。となると、それは第二の自然であり、それが人間を人間たらしめていることになるのである。そしてこの第二の自然あればこそ、未だ目にせぬ「理想」への「なつかしい」という感情も起こってくるのである。

42　同右、四三頁
43　同注3、四三頁
44　同右、四四頁

七　芭蕉と道元

岡が芭蕉とどう結ばれ、道元とどう結ばれたのかを整理してみたい。彼の「日本人としての自覚」は、この二人の先達との出会いと切り離すことができないからである。

岡が芭蕉と道元を読み始めたのはフランス留学から帰った後、ということはすでに述べた。では、どうして芭蕉と道元だったのか。岡によれば、フランス滞在中何かが欠けていると感じたそうで、その欠如感を埋めるものを探し求めた結果、芭蕉と道元にたどり着いたのだという。彼がフランスで感じた欠如感は、ホームシックとかアイデンティティーの危機とか、そういったものとは異なるものだったと推察されるが、それが何であれ、それを埋めるものは「日本」の何かでなくてはならず、それが道元であり芭蕉だったのである。ならば、どうして道元、芭蕉だったのか。たとえば本居宣長でなかった理由は、どこにあるのか？

この疑問を解決するには芭蕉と道元の共通点を求めねばならない。前にも言ったように、それは禅仏教であったが、そうなると、禅は岡にとって何だったのかが問題となる。ここで仏教思想史に立ち入る必要はないし、禅の何たるかを探求するつもりもない。芭蕉と道元の接点は禅的な自然観。それを押さえておけば十分だろう。

その自然観であるが、一言で言えば、意識と身体と自然環境との調和を見出すことにあると言ってよい。道元はそれを行為的な瞑想によって実現しようとしたのであり、芭蕉はその世界の実現を作句に求めたのである。岡は自分の求めるものが道元と芭蕉の目指したものと結びついている、そう直感したのにちがいない。

ところで、芭蕉や道元の自然への眼差しは、そのまま岡の専門である関数論とつながる。自然の律動と身体のそれと、意識のそれとを同調させようとする禅のあり方は、究極の関数論と言えなくはないからだ。関数というものが「異なった系列の対応」を意味し、その関数論が岡の専門であったならば、彼にとって、禅における異なった系列の完全対応は心にしっくり来るものだったにちがいない。

そう考えると、岡がフランスで感じた欠如がどういうものであったかも見えてくる。フランスではいくら数学が発達していても、人々の生活や身体のレベルと数学とが必ずしも対応していないと漠然ながら感じたのではあるまいか。彼地ではすべてが理知的で、理知が身体と感情から切り離されているために、数学と生活、数学と身体とがひとつにならない。一方、道元や芭蕉には数学と身体、あるいは自然界との対応が顕著である。無意識ながらこれを感じたのであろう。

岡の数学においては「理想」というものが重要であると先に述べたが、この「理想」も道元や芭蕉に見つかる。たとえば道元の『正法眼蔵』の「山水経」の章に、以下のような言葉があるのだ。

而今の山水は古仏の道現成なり。ともに法位に住して、究尽の功徳を成せり。空却已前の消息なるがゆへに而今の活計なり。[45]

ここで道元がいう山や川は、自然界の事物を指すだけではない。それらは「古仏」の具現なのである。そして、それらは全体としてひとつの「経」となっている。つまり、自然そのものが仏のテクスト、仏典ということになるのだ。つまり、山や川は仏の「理想」を伝える媒体なのである。自然のなかに蔵されているテクスト。この考え方はガリレオが「試金者」(Il Saggiatore 1623)で述べた考え方を思い出させる。自然科学が自然のなかのテクストを解読する試みならば、道元の仏教は同じ自然のなかに仏のテクストを読む試みなのである。ガリレオが言ったのは、自然のテクストは数学という言語で書かれているということであった。数学を学ぶことが自然解読の鍵だということだった。一方の道元は、坐禅と身体訓練と生活の仕方を介して自然を解読することを説いた。解読というより体得である。数学者岡にとって、この後者は数学から得られないものを提供するのである。しかもそれは、数学と通底するものでもあった。

一方の芭蕉であるが、この俳諧の達人は道元とは異なった道を通って自然の奥義に達した。その奥義を「理想」と呼んでもよいとすれば、芭蕉も彼なりに理想主義者だったと言えるのである。では、その理想はどういうものだったか。答えは、たとえば『笈の小文』(一六八八)の冒頭に見つかる。

西行の和歌における、宗祇の連歌における、雪舟の絵における、利休が茶における、其の貫道する物は一なり。しかも風雅におけるもの、造化にしたがひて四時を友とす。見る処、花にあらずといふ事なし。おもふ所、月にあらずといふ事なし。像花にあらざる時は夷狄にひとし。心花にあらざる時は鳥獣に類す。夷狄を出、鳥獣を離れて、造化にしたがひ造化にかへれとなり。[46]

「風雅におけるもの、造化にしたがひて四時を友とす。」これが芭蕉の「理想」であった。彼は美というものを、変わりゆく自然の風物に対応するものと捉えたのだ。そこには「古今和歌集」以来の伝統的自然観が見られるが、それを情緒と現象のレベルから理想レベルへと昇華させているところに芭蕉の真骨頂がある。岡はそうした理想主義的自然観を道元において見、その応用編を芭蕉に見たと言えるだろう。

そういう彼が、数学も四季の変化に応じて変化すべきものと考えたとして、なんの不思議もない。すでに見たように、彼は未だ見ぬフランスの同好の士たちに向かって、第一〇論文の冒頭で自分は数学を「冬」から「春」へと転回させるのだと言っていたのである。

しかしそれでもなお、岡が芭蕉と道元にたどり着いた具体的道程は不明である。子供時代や学生

45　道元『正法眼蔵』巻二（中村宗一注訳、誠信書房、一九七二）五三頁
46　芭蕉『芭蕉文集』（『日本古典文学大系』四六、岩波書店、一九七〇）五二頁

時代を回想した彼の文章のどこにも、この二人への言及はない。一方、フランス滞在中、彼はパリで非常に親しい友を少なくとも二人得ていて、その二人には俳諧の素養もあったし、日本の哲学についての教養もあった。おそらく岡はこの二人から芭蕉を習い、あるいは道元を聞き知ったのであろう。

その二人というのは中谷宇吉郎・治宇二郎の兄弟で、兄は物理学者、弟は考古学者であった。岡はとくに弟の治宇二郎と仲がよく、二人は科学や文学について議論をし、ときには連句遊びも楽しんだようだ。中谷兄弟が俳諧連句に通じていたのは、兄の宇吉郎が前章で見た寺田寅彦の弟子だったことによる。寅彦は物理学者でありながら、俳諧連句をも嗜む二刀流の人だった。弟の治宇二郎も、兄の影響で連句の世界に親しんでいたようだ。岡はこの弟を通じて芭蕉の世界を垣間見ることになったのではないか。岡にとってパリ留学は数学の本場を知る貴重な機会であったが、日本伝統文化を再発見する機会でもあった。俳諧文学と西洋的自然科学の両方を身につけた日本人兄弟と出会ったことは、彼の人生に大きな影響を及ぼしたのである。

岡は治宇二郎の思い出を以下のように語っている。

ところで、フランスでの私の最大の体験は、中谷宇吉郎さんの弟の中谷治宇二郎さんと知り合ったことだ。治宇二郎さんは当時シベリア経由で自費で留学に来ていた若い考古学者で、東北地方を歩き回って縄文土器を集め、長い論文を書いたあとだった。その論文をフランス語で三ページに要約したのがおもしろいので感心したり、とにかくどこかひかれるところがあって親しく交わった。年齢的にもはっきり自分を自覚するという時期よりは前で、自分の長所、短所をはっきりとは知らなかったようだが、何より才気の人で、識見もあった。それよりも、ともに学問に対して理想、抱負を持っており、それを語り合ってあきることがなかった。そのころの彼の句に「戸を開くわずかに花のありかまで」というのがあるが、明らかに学問上の理想を語ったものだろう。[47]

美しく深い友情の感じられる文章で、概して人に興味を持たなかったように見える岡として、例外的といえる。

岡の道元との出会いは芭蕉との出会いほどはっきりしない。しかし、フランス留学後に道元を読み始めたとあるから、やはり中谷兄弟との出会いが関係しているであろう。兄弟に触発されて芭蕉を読んでいくうちに禅に興味を持つようになり、そこで道元を読むようになったと考えても大きな間違いとはなるまい。

岡自身は道元に到達した道について、以下のように「日本人としての自覚」（一九六六）で述べている。

47　同注3、二八―二九頁

私は芭蕉は純粋な日本人だと思っている。そして芭蕉を詳しく調べることによって、だいたい純粋な日本人のアウトラインを、いわば鉛筆で書くことができたわけです。（…）しかし私は、この鉛筆の下書きのような自覚では足りないと思った。それで道元禅師を選んで、だいたいその著書『正法眼蔵』上中下（岩波文庫）、なかんずく「上」から、自分は純粋な日本人であるという自覚を、いわば墨書きすることができたと思っている。[48]

ここからわかるのは、彼が自らのアイデンティティーを固めるために「純粋な日本人」を求めた結果が芭蕉であり、道元だったということである。芭蕉では「鉛筆」書きだったそのアイデンティティーが、道元に接することで「墨書き」となった。したがって、道元こそは岡の「純粋な日本人」としての自覚を可能にした人、ということになるのである。

さて、「日本人としての自覚」とか「純粋な日本人」とかの言葉が出てくるので、ここで一言付け加えたい。多くの人が誤解してしまう言葉だが、このことを理由に岡をナショナリストにしてしまうのは無理がある。なんとなれば、彼にとっての「純粋な日本人」は芭蕉であり道元だったのであって、決して本居宣長や平田篤胤ではなかったからだ。

同じエッセイの中で彼は言っている、「国籍は日本にあっても純粋な日本人でない人もあれば、国籍が外国にあっても、純粋な日本人といえる場合もある」と。[49] 彼の言う「純粋な日本人」とは芭蕉が求め、道元が求めた「理想としての自然」を体得する人という意味であり、となると、ほとんどの日本人はそれに該当しないのである。限られた、ごく少数の特殊な日本人、それを岡は「純粋な日本人」と呼んだ。

一九三六年、岡がパリで知り合った親友・中谷治宇二郎が他界する。友を失った岡の悲しみは計り知れないものがあったようだ。そのときのことを書いた岡の文章がある。

私は治宇二郎さんと一緒にいたいばっかりに留学期間を一年延ばしてもらった。そして一九三二年に一緒に帰国したが、治宇二郎さんは留学前からの脊椎カリエスがひどくなって、九州の別府に近い湯布院で療養生活にはいった。私は夏休みになるとすぐとんでいって病床で話し込んだ。三年目の夏もこうして見舞っているうち、私の娘が急病にかかったという知らせでやむなく滞在を切り上げたが、これが別れとなった。このとき治宇二郎さんが「サイレンの丘越えてゆく別れかな」の句を作ったことをあとで聞いた。[50]

48　同注3、二九二頁
49　同注3、二九二頁
50　同右、二九頁

治宇二郎が遺した「サイレンの」の句は意味深長である。「サイレン」はギリシャ神話に出てくる半人半鳥の美声の持ち主で、詩歌の魅力を象徴する。「丘越えて」の「丘」は岡潔の「岡」と掛けているのだろうか。まるでサイレンのような岡が遠くへ行ってしまう、今生の別れだという意味にとれる。

もちろん、正午などに鳴る時報サイレンという意味にもとれる。その音とともに岡潔は去った、という意味にもとれるのである。いずれにせよ、二人のこの友情こそは「理想」が結んだものであり、その意味でプラトニックなものだったと言える。

治宇二郎亡き後、岡は兄の宇吉郎と親交をつづけた。この兄のことを岡は「実用的」と評しているが、宇吉郎は生活上のこまごました点にまで気を配って、社会不適応者とまでは言えないにしても奇人であった岡潔を助けたのである。無職になっていた岡に就職の世話をしたこともあるし、物理学の個人レッスンを施したこともある。そういうことをしてあげたくなる人が岡潔であり、宇吉郎もその向学心、好奇心、純粋な人柄に惹かれたのであろう。

この二人の親交を語る連句が残されている。

宇吉郎「初秋や桶に生けたる残り花」
潔「西日こぼるる取り水の音」
宇吉郎「秋の海雲なき空に続きけり」

潔「足跡もなき白砂の朝」[51]

今となってはこのような形でのコミュニケーションをしなくなってしまった日本人であるが、かつてはこのような美しい趣味が生きていたのである。あるいは、携帯電話のチャットなどにこの趣味が生き残っているのだろうか。

ところで、引用した宇吉郎と岡の連句は即興であり、彼らがこの四行をつくるのに全部で一〇秒しかかからなかったと岡は言っている。二人がこれを測ったのは、戦後日本の教育の欠陥を示すためだったのである。

岡によれば、非常に簡単な論理の問題を学童たちに提示したところ、彼らがそれに答えを出すのに二七〇〇〇秒もかかったという。これと自分たちの連句の制作時間を比較して、岡は戦後の教育が思考力を停止させていると確信したのである。しかも、その原因は学童たちが何も理解できなくても「はい」と答える習慣をつけさせられていることにある、と断じている。理解できなくても「わかりました」と言ってしまう、肯定も否定もしていないのに「はい」と言ってしまう、これを是とする教育。これを見るにつけ、彼は憂国の念を抱いた。

もっとも、岡の懸念はおそらく日本だけに当てはまるものではない。二〇世紀を振り返ると、世

51　同注3、四六頁

界全体が思考停止の危険にさらされてきたことがわかるのである。現代もそうであろう。理解できない情報が氾濫すれば思考はそれを処理できず、停止すること間違いない。ナチス・ドイツの例が示したように、集団の思考停止は全体主義の温床となる。

本章を閉じるにあたって、「日本的情緒」（一九六三）において岡が語っている若き日の彼の数学の理想を紹介したい。

大学三年のときのこと、お昼に教室でべんとうを食べながら同級生と議論をして、その終わりに私はこういった。「ぼくは計算も論理もない数学をしてみたいと思っている」すると、傍観していた他の一人が「ずいぶん変な数学ですなあ」と突然奇声を張り上げた。私も驚いたが、教室の隣は先生方の食堂になっていたから、かっこうの話題になったのであろう、あとでさまざまにひやかされた。ところが、この計算も論理もみな妄智なのである。（…）計算や論理は数学の本体ではないのである。[52]

「論理も計算もない数学」、これが岡の数学の理想だったのだ。果たして、そのような数学は可能なのか。残念ながら、それに答えられるだけの数学の素養は筆者にはない。ただ言えるのは、論理も計算もない数学ならば、それは無限に詩に近いものだということである。

52　同注３、七〇頁

第五章　宮沢賢治における科学と宗教と詩

宮沢賢治のいう科学とは何だったのだろうか。それを突き止めたいというのが本稿の出発点である。とはいえ、賢治作品には科学と宗教との不思議な混淆があり、その特異な感性と超近代的な知性との共存が独特の未来的ヴィジョンを呈している。となると、彼の考えていた詩とは何だったのか、科学と宗教との関係はどうだったのか、そうしたことを考えてみなくてはならなくなった。そしてわかったのは、彼における科学を探求することは彼の詩を理解することであり、宗教的世界観を理解することでもあるということである。以下はそうした考察の一報告と言ってよい。

一　詩よりも科学

宮沢賢治（一八九六—一九三三）における科学と詩と宗教を考えるにあたって、彼が自身の詩を詩ではなくて科学のためのデータだと言っていることを思い出したい。多くの人は、筆者も含めて、賢治が詩人だったと思っている。生前に詩集『春と修羅』（一九二四）を出したのだから、そう思って当然なのである。しかし、彼自身は自分の書いたものを「詩」とは認めなかった。友人・森佐一への書簡で、以下のように言っている。

前に私の自費で出版した「春と修羅」も、亦それから後只今まで書き付けてあるのも、これらはみな到底詩ではありません。私がこれから何とかして完成したいと思つて居ります、或る心理学的な仕事の支度に、正統な勉強の許されない間、境遇の許す限り、機会のある度ごとに、いろいろな条件の下で書き取つて置く、ほんの粗硬な心象のスケツチでしかありません。（大正一四年二月九日　森佐一宛）[1]

つまり、私たちには詩であるものが、彼にとっては心理学研究のデータだったのだ。そのデータを、彼は「心象のスケッチ」と名づけたのである。「これから何とかして完成したいと思つて居ります、或る心理学的な仕事」と言っているその「仕事」は、ついに完成しなかったように見えるが、それが彼の究極目標だったことを忘れてはならない。

似たような考えを、彼は岩波書店の社長であった岩波茂雄に宛てた手紙でも吐露している。

1　「宮沢賢治全集〈9〉書簡」（ちくま文庫、一九九五）

わたくしは岩手県の農学校の教師をして居りますが、六七年前から歴史やその論料、われわれの感ずるそのほかの空間といふやうなことについてどうもおかしな感じやうがしてたまりませんでした。わたくしはさういふ方の勉強もせずまた風だの稲だのにとかくまぎれ勝ちでしたから、わたくしはあとで勉強するときの仕度にとそれぞれの心持ちをそのとほり科学的に記載して置きました。その一部分をわたくしは柄にもなく昨年の春本にしたのです。心象スケッチ春と修羅とかなんとか題して関根といふ店から自費で出しました。友人の先生尾山といふ人が詩集と銘打ちました。詩といふことはわたくしも知らないわけではありませんでしたが、厳密に事実のとほりに記録したものを何だかいままでのつぎはぎしたものと混ぜられたのは不満でした。（大正一四年一二月二〇日　岩波茂雄宛）[2]

ここには「心理学」という言葉は見えないが、そのかわり「科学」という語が見つかる。しかも、「歴史やその論料（データ）、われわれの感ずるそのほかの空間」について疑問があるので、それらを研究するために「心象スケッチ」を集めたというのである。彼にとって、従来の「歴史」は納得できないものであったと同時に、従来の「空間」概念も疑問だったことがわかる。既存の歴史学と物理学に根本的な疑問を抱いていたのである。

岩波茂雄宛書簡で気になるのは、賢治が自分の書いたものを詩として認めなかった理由として、それが「厳密に事実のとほりに記録したもの」だからであり、それを「いままでのつぎはぎしたもの」と混同されるのは不満だと言っている点である。すなわち、これらは科学のためのデータなのだから、これまで詩と呼ばれてきた「つぎはぎ」と一緒にされたくはないというのだ。科学を高く評価し、詩を「つぎはぎ」としか見ていなかったということか？　賢治にとって、「文学」はそれほどに価値のないものだったのか？

彼が文学を低く見ていたかどうかはわからない。少なくとも彼の書いた童話は、彼自身にとって文学であった（これについては後述する）。彼が岩波社長への書簡で言いたかったのは、自分の作品を同時代の文学と一緒にしてくれるな、ということだったようだ。傲慢な態度といわれても仕方ない口ぶりであるが、それだけ自信があったということかも知れない。

文学より科学に価値を置いていたように見える賢治だが、科学の洗礼を受けた当時の日本人のなかには、たとえば別の章で触れた寺田寅彦のように、科学を通過して初めて新たな芸術も宗教も生まれ得るという確信があったようだ（寺田の一九二二年の随筆「春六題」には生命を科学的に解明してこそ、新たな宗教も芸術も生まれ得ると述べている[3]）。したがって、賢治を例外と決めつけることはできないのである。一方、文学というものをあまりにも単純に信じている私たちの価値観は、それこそ一度疑ってみる必要があろう。

2　同注1
3　『寺田寅彦全集・290作品＝1冊』（Kindle）41648/52797

さて、岩波茂雄への手紙と先の森佐一宛の手紙を合わせてみると、賢治が考えていた科学が見えてくる。それは彼が「心理学」と呼んだもので、狭義の心理学ではなく、「空間」を扱う物理学も、時間を扱う歴史学をも含む壮大なものだったのである。賢治がそうした科学を構想したのは、それまでの科学への疑問、さらにいうなら「科学的」を自負する近代文明への疑問があったからであろう。心理学なくして科学の示す空間の解明、歴史学が目指す時間の解明ができるのか。そういう疑問を抱いていたと見える。

彼の目指した「心理学」は物理学や歴史学より高次な科学であった。その高次な見地から、近代科学が扱う時間と空間について根本から見直すべきだと言っているのだ。そのような見直しはすでにアインシュタインが相対性理論において行っている、という意見もあろう。なるほどアインシュタインは時間と空間を徹底的に見直したが、それは物理学の範囲においてであり、心的現象にまで踏み込んだわけではない。アインシュタインを十分知っていたとは思えない賢治であるが、知っていたとしても物理学だけでは十分でないと感じたのではないだろうか。彼のなかには、物理学も歴史学も含めた「心理学」という総合科学が理想としてあった、そう思われる。

なるほど、科学といえども、歴史といえども、私たちの心的現象の集積が生み出したものである。物理学者はたとえ人間の心がなくても宇宙の自然法則は存在すると主張するかもしれないし、歴史学者も歴史は人間の心に関係なく実在すると主張するかもしれないが、仮にそうだとしても、私たちが物理や歴史のなにかを理解できるのは、私たちに「心」があるからにちがいない。賢治にすれば、歴史学者や科学者がそこまで考えていないことが不満だったろう。「心」を抜きに科学も芸術もないではないか、そう言いたかったのだと思われる。

賢治の歴史観について付言すると、彼の地質学的な世界観とこれは関係があった。彼にとって歴史とは、日本史とか世界史とかの人間の歴史とは限らず、岩石の、火山の、あるいは植物の歴史であった。そのことは彼の詩をみればわかるのである。自然史を抜きにして、人間の歴史を考えることができるのか。そうした疑問があったと思われる。

近代の歴史観は日・月・年・世紀といった時間軸に沿ったもので、しかも一八世紀以降は国史が一般的である。世界史もあるが、それも基本単位は国であり、民族である。賢治の同時代の歴史観はそのようなもので、世界史といえども日本国を中心としたものであった。そこには人類史も地球史もなく、まして宇宙史はなかった。

一方、賢治の方は人類史を超えた自然史を考えていた。地質学が好きだった彼は、自然そのものに歴史があり、そのなかに人類の歴史もあると見ていたのである。そういう彼にすれば、近代の歴史観はあまりにも近視眼的にして矮小なものと見えたにちがいない。

彼の壮大な歴史観の一端を示す言葉を『春と修羅』（一九二四）の序から引こう。

けれどもこれら新生代沖積世の
巨大に明るい時間の集積のなかで

正しくうつされた筈のこれらのことばが
わづかその一点にも均しい明暗のうちに
　（あるひは修羅の十億年）
すでにはやくもその組立や質を変じ
しかもわたくしも印刷者も
それを変らないとして感ずることは
傾向としてはあり得ます[4]

ここでいう「これらのことば」は『春と修羅』に収められた彼の作品群を指すのだが、地球史全体から見ると、そんなものは一瞬のうちに変質してしまうと言っているのだ。しかも、そうであってもなお、人間はそれらが変質しないと思いがちだとも言うのである。人間の主観的判断と、それをはるかに超えた地球史的な「巨大に明るい時間の集積」。賢治の歴史観の真骨頂は、こうした言葉に現れている。

では、この巨大な歴史観はひとり地質学の知識に因るのだろうか。実はもうひとつ源泉があり、引用中の「修羅」という語がそれを示す。賢治は仏教徒であり、法華経信者だったのだ。法華経の宇宙観・時間論が彼の世界観の基本をつくっており、その観点から彼は既存の物理学や歴史学に異論を唱えた、と見ることもできるのだ。

もちろん、ただ法華経を読んだからといって、そうした時空観が得られるわけではない。賢治は森を歩き、山を歩き、生物界を注意深く観察し、風や雨や雪を経験し、岩石を注視し、星空を眺めた。それらの体験が法華経と意識の深いところで結びついて、ひとつの世界観をなしていたのである。

二　詩の中の科学

すでに見たように、賢治の詩は彼自身にとっては科学データであった。が、一般読者にとってはどうあっても詩であり、文学である。彼の童話にしても、詩が溢れていると言わざるを得ない。ただし、その詩情は他の詩人には見られない独特の神秘性を持ち、また科学的見地が散りばめられている。詩とはいえ、詩以上のなにかがそこにあると認めざるを得ないのである。

詩集『春と修羅』の序は次のように始まる。

4　『ザ・賢治　宮沢賢治全一冊』（第三書館、一九八六）三五六頁

わたくしといふ現象は
仮定された有機交流電燈の
ひとつの青い照明です
（あらゆる透明な幽霊の複合体）[5]

大半の読者には何を言っているのかわからない難解な言葉の連続である。「わたくし」が単なる「現象」だといきなり言われても面食らうだけだ。しかし、私たちの世界において、「わたくし」の存在を確証できるものはどこにもない。それが現象であることだけは確かなのである。

このような「わたくし」を、自我の存在を虚妄とする仏教思想によって説明することはもちろん可能だ。彼が熱心な法華経信者であったことを知っている私たちは、そうする誘惑にかられる。しかし、そうなると二行目以降、すなわち「仮定された有機交流電燈のひとつの青い照明」とつながらない。物理学的表現と仏教がそう簡単に結びつくとは思えないからである。

そもそも「現象」という言葉は西洋でいうphenomenonの訳語である。これについては明治時代の前半、西洋では「現象」が「実在」と区別されていることを知った何人かの仏教系哲学者が、「現象即実在」を唱えている。[6] 賢治はそうした流れに沿って「現象」という語を用いたのかも知れない。しかし、彼は「現象」が科学者の用いる言葉であることも知っていたはずである。「仮定された有機交流電燈」の「ひとつの青い照明」という表現の科学性と、「現象」という言葉とはつり合っているのである。

「有機交流電燈」とはなにか。「電燈」はわかるし、「交流」は電気の交流を指す。また、「有機」は無機物と区別して生命を持つ物体に冠せられる語である。これらを総合すると、「わたくし」は有機体の電流が生み出す現象、ということになる。

こうした見方の背後に一八世紀のガルヴァーニによる生体電気の発見、その後のボルタの生体外での電気の発見がある。賢治はそれらの発見を知っていたようだ。

問題は「青い照明」の「青」である。なぜ「青」なのか？　これはおそらく燐光と関係がある。燐光は生物の腐敗から生じるとされ、青い光を放つとされるからだ。そうなると、彼のいう「わたくし」という現象は、死者が発する燐光に因るものということになる。

そう解釈してよい根拠は、そのあとにつづく括弧内の文言（あらゆる透明な幽霊の複合体）にある。賢治が括弧を用いて何かをいう場合、別の言い方をすればこうなるという意味合いを持つことが多い。括弧内の（あらゆる透明な幽霊の複合体）は、「有機交流電燈」の照明という「わたくし」の物理学的定義と並行して成り立つ、もう一つの「わたくし」の定義、ということになるのである。

つまり、「わたくし」は「あらゆる透明な幽霊の複合体」であると言ってもよいし、物理学的に定義して「有機交流電燈」の照明と言ってもよい、そう賢治は考えたのである。

5　同注4、三五五頁
6　新田義弘「井上円了における現象即実在論」（『井上円了と西洋思想』東洋大学出版、一九八八）七九－一〇二頁

だが、生身の自己が実は透明な死霊の複合体であるという主張は、通常の人には理解しがたいばかりか、受け入れがたいものである。しかし、だとしても、それが間違っているかとなれば、簡単には言いきれない。通常の科学的見地からすれば「幽霊」の実在を認めることはできないが、当時の一流の科学者の中にも幽霊の実在を確信する人がいて、彼らは「心霊主義」（スピリチュアリズム）なるものを立ち上げていた。賢治もそれを知っていたに違いないというのも、彼らのうち物理学者のオリヴァー・ロッジのように、その著書が日本で紹介された例もあるからだ（『レイモンド冥界通信』高橋五郎訳 宇宙霊象研究協会 一九一八）。

賢治にとって心霊主義は大いに共鳴できるものだったろう。賢治の蔵書には『トムソン科学大系』があり、そのなかにロッジの「レイモンド」が収められていることを作家の寮美千子が指摘している。[7] 賢治がそれを読んでいた可能性は非常に高い。

とはいえ、賢治の「あらゆる透明な幽霊の複合体」と、西洋の心霊主義の幽霊観とが全く同じだったというわけではない。西洋の場合は心霊が個々の死者のもの、すなわち個人霊であるのが一般的なのに対し、賢治のほうは個我を「あらゆる幽霊の複合体」、すなわち無数の霊の集合体と見ていたからである。このちがいはどこから来るのか？

文化のちがいに帰することは容易だが、それでは表面を撫でることにしかならない。もう少し科学史的なアプローチが必要であろう。考えられるのは、賢治の詩「青森挽歌」（一九二三）に登場する「ヘッケル博士」である。このエルンスト・ヘッケルの「個体発生は系統発生を反復する」という説が賢治に作用して、彼は自らの個体的存在のうちに、過去のあらゆる生物の遺伝子が潜在していると見たと考えられるのである。ヘッケルの反復説は、当時の日本ではよく知られていた。

もっとも、遺伝子と幽霊は異なった次元のものであり、両者の関係は不明である。だが、不明であるからといって最初からそんなものは存在しないと決めつけることは、それこそ科学的ではない。将来の生物学がそこにまで踏み込んでいく可能性がないとは、誰にも言えないのだ。

先の引用二行目の「仮定された有機交流電燈」の「仮定された」についても、一言しておきたい。「仮定された」とは「有機交流電燈」というものが実在するのではなく、そのような「電燈」が仮定されているという意味である。これは科学においてはきわめて重要なことで、証明されていなくてもそうではないかと思われる理論は、すべて「仮説」とされる。賢治もこのことをよく知っていたので、あえて「仮定された」を用いたのにちがいない。

このように見てくると、なるほど賢治が書いたものを単なる詩として見るのは、彼自身が強調したように不十分だとわかる。たしかにそこには詩があるとしても、その詩は宗教的世界観の表現であると同時に哲学でもあり、とくに科学的見解の提示なのである。

そうした例をもう少し挙げよう。たとえば『春と修羅』に収められた「小岩井牧場パート九」（一九二二）。そこには以下のような文言が見つかる。

7　寮美千子「相対性理論百年「四次元幻想」源泉への時間旅行」（二〇〇五）https://ryomichico.net/sakichi/kenji-4d-timetravel.html

もしも正しいねがひに燃えて
じぶんとひとと万象といつしよに
至上福祉にいたらうとする
それをある宗教情操とするならば
そのねがひから砕けまたは疲れ
じぶんとそれからたつたもひとつのたましひと
完全そして永久にどこまでもいつしよに行かうとする
この変態を恋愛といふ
そしてどこまでもその方向では
決して求め得られないその恋愛の本質的な部分を
むりにもごまかし求め得ようとする
この傾向を性慾といふ
すべてこれら漸移のなかのさまざまな過程に従つて
さまざまな眼に見えまた見えない生物の種類がある
この命題は可逆的にもまた正しく
わたくしにはあんまり恐ろしいことだ

けれどもいくら恐ろしいといつても
それがほんたうならしかたない
さあはつきり眼をあいてたれにも見え
明確に物理学の法則にしたがふ
これら実在の現象のなかから
あたらしくまつすぐに起て[8]

ここで賢治は「宗教情操」が根幹であるとし、そこからの「変態」として「恋愛」と「性欲」を捉えているのだが、これなどは宗教心埋学のテーゼといってよい。しかも、その真実は生物としての人間には必ずしも見えないものであり、それは「恐ろしい」ことではあるけれども、それを変えることはできないとも言っているのである。そういう厳しい状況において私たちにできることはなにかといえば、誰にも明らかな「物理学の法則」に従うこと、「実在の現象」を否定せずに、そこから出発することだと提言しているのである。物理学への信頼、しかも物理学が宗教ともつながるという理想主義。こうしたヴィジョンが賢治の詩を単なる詩ではなく、彼なりの科学思想のマニフエストにしているのである。

8　同注4、三八二頁

もうひとつ、同じ『春と修羅』から引用しよう。「風景観察官」（一九二二）と題されたもので、こちらの方が詩らしい作品と言えるだろう。有吉貴紀の「屈折率」の分析にならって[9]、この詩を分析してみたい。

あの林は
あんまり緑青を盛り過ぎたのだ
それでも自然ならしかたないが
また多少プウルキインの現象にもよるやうだが
も少しそらから橙黄線を送つてもらふやうにしたら
どうだらう

ああ何といふいい精神だ
株式取引所や議事堂でばかり
フロックコートは着られるものでない
むしろこんなシトリン（黄水晶）の夕方に
まつ青な稲の槍の間で
ホルスタインの群を指導するとき

よく適合し効果もある

何といふいい精神だらう
たとへそれが羊羹いろでぼろぼろで
あるいはすこし暑くもあらうが
あんなまじめな直立や
風景のなかの敬虔な人間を
わたくしはいままで見たことがない[10]

見てのとおり畜産指導員とでもいうべき人物への賛歌であるが、それをそうは呼ばずに「風景観察官」としているのは、単に乳牛を観察するだけでなく、農村風景、農業全般、さらには自然環境全体を観察する人という意味合いを込めているからであろう。この人物が実際にいて、賢治がその人と知り合いであったかどうかはわからない。架空の人物かもしれないし、あるいは農業技師であった自分自身の理想像を描いたのかもしれない。

それはともかく、第一段は「観察官」自身の想いのようだ。「林」の緑があまりにも濃いことを

9　有吉貴紀「『屈折率』論―『縮れた亜鉛の雲』の世界について」（『福岡大学日本語日本文学・12』二〇〇二）
10　同注4、三八四―三八五頁

「緑青」を盛りすぎたといい、まるで風景が誰かによって作られたかのように言っているが、それも「自然」のなせるわざだから受け入れるしかない、と一旦は消極的な姿を見せる。しかも、時間帯によって色覚に変化をもたらす「プウルキインの現象」のせいだと付け加え、これですっかり納得したかのような態度を見せるのである。ところが、最後になってそれが一転し、それでもやはりもう少し「橙黄線」、すなわち橙黄色の光線を送ってほしい、と「そら」に頼んでいる。

ちなみに、「プウルキインの現象」とはプルキンエ現象のことで、夕方などにすべてが青緑色に見えるような色覚の変化を指している。賢治はそのことを知っていて、一応は科学の教える説に恭順の意を表すのだが、やはり諦めきれず、望ましい風景を思い描いてしまうのだ。これは科学への反抗か？ 科学の説明が全てではないと言いたかったのか？ あるいは、科学を超える高次の智慧がある、とでも言いたかったのか。

第二段は「観察官」の精神を「ああ何といふいい精神だ」とたたえて始まる。つづいて彼の着ている「フロックコート」が農村風景と似合っているといい、「株式取引所や議事堂」で都会人が着るものとは限らないというのである。ここであえて「フロックコート」に言及しているのは、「観察官」が科学の使徒であり、科学は西洋からきたものであることを暗示しようとしたからかもしれない。たとえ片田舎にいようとも、西洋服がよく似合う科学者の姿が描き出されている、と見ることもできるのである。

時刻は夕刻、それを賢治は「シトリン（黄水晶）の夕方」という。一見すると西洋かぶれのモダニズム表現ともとれる言い回しだが、なるほど黄水晶は宝石であり、それが夕方の空のメタファーとなり、「まつ青な稲」という古風な風景を包みこんでいるというのだから、不思議な風景の現出である。しかも、その「稲の槍」の間に「ホルスタインの群」が現れる。となれば、これはもう夢の世界である。「ホルスタイン」はもちろん西洋産の乳牛で、「稲」の東洋あるいは日本と対比されているのだ。「観察官」はこれらすべてをひっくるめた風景を見とどけて、それを肯定している。

第三段も「何といふいい精神だ」と観察官をたたえて始まる。今度は着ているコートが「羊羹いろでぼろぼろ」であるといい、それほど良質のものではなく古びている。それゆえ、前段より現実味を帯びてくる。先の「フロックコート」の西洋的イメージを壊すような言い回しである。

しかし、観察官が風景を見るその姿には「敬虔」さがあるといい、彼が西洋風を売りにする浅薄な科学者ではなくて、清貧に甘んじる宗教者のような人格であることが鮮明になる。科学と宗教、古いものと新しいもの、そうしたものが共存する稀有な風景と人物の創出がある、そう言ってよい。

この「観察官」の詩を通じて賢治が示したかったのは、近代科学と古風な伝統が一体となった宗教＝科学の理想であろう。したがって、賢治が主人公である「観察官」に自らを重ねているという見方は、やはり間違いではないだろう。ともすれば一片のモダニズム詩と片づけられそうな言葉の群れなのにそうなっていないのは、それが流行の文学潮流の模倣ではなく、賢治が本物のモダニストだったからである。アメリカのフォークナーの例を見てもわかるように、モダニズムとは普遍的言語と土着言語の不思議な混淆の産物なのである。

三　科学

賢治の科学についての見方は二重であった。一方では、すでに見た「明確に物理学の法則にしたがふこれら実在の現象」という言葉が示すように、科学に大きな信頼をいだいていた。しかし、

曾つてわれらの師父たちは乏しいながら可成楽しく生きてゐた
そこには芸術も宗教もあった
いまわれらにはただ労働が　生存があるばかりである
宗教は疲れて近代科学に置換され然も科学は冷く暗い
（「農民芸術概論綱要」一九二六）[11]

とあるように、科学を「冷く暗い」と見ていただけではなく、宗教に取って代わったのに、宗教が人間に与えてきたものを与えていない、と見ていたのである。

このような見方に対して以下のように反論することもできる。科学はもともと真理を探究するものであって、精神的幸福や満足を追求するものではないのだから、これを「冷たく暗い」と見る必要はないのではないかと。そのように言ってもよいのだが、賢治がそう言わなかったのは、科学に

宗教の役割を期待したからである。彼にすれば、科学は未だ本当の科学にはなっていない、そういうことだったのだ。

ところで、先の引用は、彼が花巻で展開した農民のための芸術運動の綱要の一節である。この運動は科学よりも芸術を重視し、「ただ労働が　生存があるばかり」という農民たちの暗い現実を向上させるには、生活の中に「芸術」をもたらすことが大切だという考え方を基礎としている。彼はこの考えに基づいて一九二六年、実家の別邸を利用して羅須地人協会なるものを設立し、それを農民のための学習の場として提供し、そこで農学および芸術活動の指導をした。人々が当面必要としているのは宗教よりは科学、科学よりは芸術、というふうに考えていたように見える。

なるほど、芸術には科学や宗教にはない精神面への独特の働きかけがあり、賢治はこれに着目したようだ。ちなみに、似たような考えは、本書の初章で扱った、彼と同時代のシモーヌ・ヴェイユの「人々には詩が必要だ[12]」にも見られ、この二人は科学につよい関心があったこと、精神の奥深いところで宗教を求めていたこと、社会全体の幸福を希求していたことなど、いくつかの共通点をもつ。ここは二人の比較論を展開する場ではないので、これ以上のことは述べまい。

賢治のように近代科学を「冷たい」とする見解は、一九世紀ヨーロッパのロマン主義者にしばし

11　同注4、六二二頁
12　Simone Weil: La condition ouvrière (Paris, Gallimard, 1951), en version numérique, Chicoutimi, Université du Québec à Chicoutimi, 2005, p.219

ば見られる。代表的なのはイギリスの詩人キーツで、科学のせいで自然の神秘が台無しになったと嘆いている。[13] しかし、前述したように、賢治は科学に期待する面があり、科学は必ずしも自然の神秘を破壊するものではないと見ていた。現代の生物学者ドーキンズのように、科学者も詩人同様自然の神秘に対して畏敬の念を持っている、と見ていたのである。[14]

では、それならどうして、「科学は冷く暗い」と言ったのだろうか。繰り返しになるが、科学には宗教が与えたものを与えることができず、精神的な癒しを与えることができないと見たからである。彼は科学のそういう限界を超えるものを宗教にではなく、前述の「心理学」に求めた。これまでの科学にはできない、物質的な現象の背後にある精神的な現象を究める高次の科学としての「心理学」、それに期待したのである。

しかし、そのような高次の科学の研究に時間を割くことができなかった彼にとって、自分と他者とを結び付けるものとしては芸術が最も身近であった。音楽や絵画をとおして人は自らの精神性に気づくことができる、そう思ったのである。

ところで、「冷く暗い」科学であっても、彼にはそれが人々の生活を改善する力を持っているという確信もあったようだ。彼が盛岡高等農林学校に進んだのは、農学という科学の力で農民たちの生活を楽にできると思ったからである。農業技師を育てるこの学校は、東北地方の農業の厳しい実情を少しでも向上させようという意図で、一九〇二年に中央政府が設立したものだ。彼にとって最新の科学技術を知ることは、貧窮する人々を助ける最も有効な手段だったのである。

科学に対する賢治のそうした期待は晩年まで変わることがなかった。他界する少し前に完成したと思われる童話『グスコーブドリの伝記』（一九三二）が最もよくそれを示している。主人公ブドリが科学技術の力で火山の噴火を誘引し、それによって地熱を高め、寒冷地の痩せた土地を豊かにするというこの物語。ブドリが自ら進んで危険な作業に取り組み、命を落としてまで人々の生活を救うという内容ゆえに美しい自己犠牲の物語ととられることが多いが（これについては反論もある）[15]、ブドリの示す科学への信頼がこの作品の核となっていることは確かである。

もっとも、そこで展開されている科学への信頼が楽観的に過ぎるという印象は拭えない。火山の爆発を誘発させて人間を救うことが、果たして自然の道理にかなっているのかという疑問が残る。多くの科学者は科学をニュートラルなものであり、それを善に利用するか悪に利用するかは利用者の問題だと考えているが、たとえ善のために利用する場合でも、それが誰にとっての善なのか、またどのような副次的結果をもたらすのか、彼らはそうしたことに留意しなければならない。ブドリの場合（その作者も）、そうした留意がまったく見られない。そこが物足りなさを感じさせる。

そういう留意を主人公にさせなかったのは、賢治が寒冷地で苦しむ農民の生活改善を優先させたからだと一応の説明はつく。しかし、宇宙や自然の歴史まで考慮する賢治にしては、あまりにも単

13　John Keates : Lamia（1819）
14　Richard Dawkins: Unweaving the Rainbow, Generic, 1998
15　竜口佐知子「『グスコーブドリの伝記』の結末を読む」「福岡大学・日本語日本文学」二〇一五年二五号

純な解決法に見える。たとえば賢治の死後、戦争の早期終結を目指して投下された原子爆弾は、投下を決断した側から見れば善であったかもしれないが、投下された側だけでなく、第三者から見ても悪だったといえる。科学技術の応用は、倫理的観点から見れば、賢治が思ったほど単純ではないのだ。

もっとも、賢治のそうした楽観主義は当時の日本では普通であったことも事実である。明治以来、科学技術の向上は悪と結びつくことはなく、国益のため、国民のために必ずや役に立つと信じられていたのである。

盛岡高等農林学校時代の賢治に目を向けると、彼がそこで学んだのは生物学、地質学、鉱物学、化学、気象学などであった。これらはいずれも農業の改善に役立つものであった。しかし、賢治にはそれだけでは物足らなかったようで、自修用に天文学や物理学や数学の本を買い込んでいる。前出の寮美千子によれば、科学に関する本で現在残っている蔵書は五〇冊あまりで、その中にはJ・A・トムソンの『科学大系』もあり、そこにはすでに述べた心霊学まで含まれていた。賢治がこれらを読んで自らの宇宙観を育んでいたことは間違いのないことで、それはたとえば代表作童話『銀河鉄道の夜』に結実している。

では、これらによって得た科学的知識はどのような世界観に彼を導いたのか。ひとつ言えるのは、存在するすべての事物が等価であるという世界観である。これは確かに科学的な世界観で、それに沿って、人間も、その他の生き物も、有機体も、無機質の物質も、微小生物も、銀河系宇宙も、等価値のものと見たのである。それを示す『春と修羅』の「序」の一節を引こう。

これらについて人や銀河や修羅や海胆は
宇宙塵をたべ　または空気や塩水を呼吸しながら
それぞれ新鮮な本体論もかんがへませうが
それらも畢竟こゝろのひとつの風物です[16]

人も銀河も修羅も海胆も等価であり、それぞれに生活しつつ思考し、異なった世界観を構築しているというのだ。それらはそれぞれの世界観を持っており、それは結局のところ「こゝろの風物」だというのである。

では、その「こゝろ」とは誰の心なのか？　無論、「わたくし」の心ではない。なんとなれば、「わたくし」は宇宙の現象のひとつにすぎないのだから。となると、「こゝろ」は宇宙の心ということになろう。そして、心理学とは心の学であるから、賢治のいう「心理学」とは宇宙の心の学ということになるのである。

16　同注４、三五五頁

同じ「序」のなかには、括弧にくくられている以下の言葉がある。

(すべてがわたくしの中のみんなであるやうに
みんなのおのおののなかのすべてですから)[17]

すべてが自身の「こゝろ」のなかにあると同時に、同様のことがすべての事物に起こっているという意味にとれる言葉だ。賢治にとってこの宇宙は「こゝろ」そのものであり、そのなかに個々の事物の「こゝろ」が含まれるだけでなく、それらの「こゝろ」と宇宙の「こゝろ」とはひとつなのである。

先の引用でもうひとつ注意すべきは「修羅」である。修羅は仏教における守護神であり、戦闘を象徴するものである。賢治が自らを修羅とみなしていたことは『春と修羅』という表題からわかることで、彼は自らを宗教の戦いにおける戦士と見ており、自分を「人」から区別していたのだ。なるほど、法華経主義は法華経の思想の伝播をそれに従うものに課す。賢治は法華経の伝播を自らの使命としていたことがわかるのである。

ちなみに、引用のなかの「本体論」は西洋哲学でいうontologyの翻訳語で、存在論ともいう。賢治はこれを「こゝろの風物」だと言っているが、そこに仏教の唯識思想が顔を出していると言えなくはない。唯識思想によれば、存在すると考えられる一切は意識現象に過ぎず、事物の本体などどこにもない。賢治の場合、法華経主義の源泉である天台宗をつうじてこの思想を取り入れていたと見える。

だがそうなると、科学は賢治にとってどういう意味をもっていたのか、という疑問が生じる。というのも、科学、彼が身につけた西洋産の科学は、古代ギリシャ以来存在論に根ざしているからだ。これについて賢治ははっきり述べていないが、『春と修羅』の序の終末部に以下の文言がある。

けだしわれわれがわれわれの感官や
風景や人物をかんずるやうに
そしてたゞ共通に感ずるだけであるやうに
記録や歴史　あるいは地史といふものも
それのいろいろの論料といつしよに
(因果の時空的制約のもとに)
われわれがかんじてゐるのに過ぎません[18]

ここに「科学」という語は出て来ていないが、「記録や歴史」などとその「論料」(データ)は

17　同注4、三五五頁
18　同注4、三五六頁

「われわれ」が「共通に感ずるだけ」のものに過ぎず、しかもその共通感覚は「因果の時空的制約」のもとに成り立っていると言っているのだから、科学というものもわれわれの共通感覚を元にして成り立っている以上、われわれが「かんじてゐる」に過ぎないものとなるのである。

だが、そうなると「因果の時空的制約」は何なのか、ということになる。というのも、この語はまさに科学の根本を示すもので、それを賢治は全面的に承認しているように見えるからである。そもそも「因果」決定論は近代科学の前提である。量子力学は因果律を超えると言われることがあるが、その理論はおおむね因果律に立脚していると見える。とすると、賢治の立場は最後まで科学の立場であったと言ってよいことになる。

しかも、ここで賢治は相対性理論がはじめて明確にした「時空」という概念も用いている。以下は「序」の最後の部分、「第四次延長」（＝四次元）の概念に触れている部分である。

すべてこれらの命題は
心象や時間それ自身の性質として
第四次延長のなかで主張されます[19]

つまり、彼のいう「因果の時空的制約」はアインシュタインの相対性理論に通じるものだったのである。

以上から、賢治は相対性理論の示す「時空」を心象世界への扉と考えたと見てよいと思われる。アインシュタインと哲学議論を展開した哲学者ベルクソンと似たような反応の仕方であり（山本徹「アインシュタインとベルクソン（I～III）」参照）[20]、たとえアインシュタインがベルクソンの満足するような答えを出さなかったにしても、今後の科学が解決すべき問題が賢治の視点には含まれていたのである。宮澤賢治の科学観は、その意味で今後も検討されねばならない。

賢治にアインシュタインと似ている時空観があったとしても、アインシュタインが考慮に入れなかった「心象」を持ち出している点は大いにこの物理学者と異なる。その点では、今日の物理学者ペンローズのほうが賢治に近いのである。ペンローズは賢治とは反対に心理学を物理学に還元しようとしているが、宇宙を意識であるという結論に達している点では賢治と近いのである。[21]

先に、賢治にとって宇宙は「こゝろ」そのものであり、そのなかに個々の事物の「こゝろ」が含まれているだけでなく、それらの「こゝろ」は宇宙の「こゝろ」とひとつだったと述べたが、その原理を説明する彼自身の言葉が「農民芸術概論綱要」に見つかる。そこで彼は「自我の意識は個人から集団社会宇宙と次第に進化する」と言っているのだ。[22] つまり、意識は個体の意識から集団意識

19　同右同頁
20　『天理大学学報26』一九七四
21　Roger Penrose, Hameroff and others: Consciousness and the Universe, 2009 in Kindle edition
22　同注4、六二二頁

へ、集団意識から社会意識へ、社会意識から宇宙意識へと「進化」する。だから、宇宙意識の視点から見れば、個々の意識、また集団の意識もその一部に過ぎず、その未発達な部分なのである。ちなみに、ここでいう「意識」と、先の「こゝろ」とは同義であると言ってよい。

「進化」という言葉が使われているのはダーウィンよりもスペンサーの影響だろうか。スペンサーは近代日本ではよく読まれた思想家であった。しかし、仏教では意識の発達段階について古代から論じている。「意識進化論」が仏教徒にとって新規なものでなかったことは、たとえば空海の『十住心論』(八三〇)を見ればわかることである。

四　心理学

先にも述べたように、賢治が目指したものは物質の科学をも含めた高次の科学としての心理学であった。彼と心理学との関係に目を向けたい。

まず言えるのは、農林高等学校には心理学の授業はなかったということだ。しかし、ウィリアム・ジェイムズの心理学と早くに出会っていたはずで、賢治の「心象スケッチ」という言葉はおそらくジェイムズの「意識の流れ」に喚起されたものである。賢治はジェイムズの『心理学講義』(原著は一八九二年、日本語訳は一九〇〇年）を読んでいたようだ。また彼の場合、「意識」は仏教と結びつけられて宗教的な背景を持っていた。だから、ジェイムズの『宗教的経験の諸相』（一九〇二、最初の邦訳は一九一四年）にも眼を向けたと考えられる。

精神分析についての知識は皆無ではなかったかもしれないが、浅いものだったのではないか。先に「小岩井牧場」の詩に見た性欲から恋愛へ、恋愛から普遍的人類愛へという図式からすると、フロイトをある程度まで知っていた可能性はあるが。

そうしたことより重要なのは、心理学を知る前から彼には心理学を受け入れる素地が培われていたということである。仏教的知性に育まれた彼のような者にとって、心理学は受け入れやすかったのだ。仏教は広い意味での心理学、一種の認知心理学とも言えるからである。

では、賢治は西洋から輸入された心理学に心から満足しただろうか。むしろ、彼が目指したものは西洋から入った心理学をも含み込んだもっと大きな心理学、すなわち仏教と一体化した心理学だったのではないか。

仏教が心理学であるというのは初期仏教の経典を読んでもわかることである（中村元訳『スッタニパータ』参照）。しかし、それが宇宙意識の心理学となるのは、賢治が信仰した大乗仏教においてであり、とくに賢治が信奉した法華経においてである。法華経は仏陀入滅後六〇〇年経てできた経典で、日本の法華経主義は天台宗から発している。天台宗は心理学的な仏教思想を展開し、しかもそれは初期仏教の個人主義的心理学とは異なる思想を包含していたのだ。

ところで、『春と修羅』序には以下のような不思議な言葉が見つかる。

これらは二十二箇月の
過去とかんずる方角から
紙と鉱質インクをつらね
（すべてわたくしと明滅し
　みんなが同時に感ずるもの）
ここまでたもちつゞけられた
かげとひかりのひとくさりづつ
そのとほりの心象スケッチです[23]

ここで賢治は自身の「心象」を「すべてわたくしと明滅」し、「みんなが同時に感ずるもの」と言っている。自分の心に浮かぶイメージ群はすべて「みんなが同時に感ずるもの」というのだから、ユングやパウリが心に描いた「共時性」に近い（『パウリ＝ユング往復書簡集 1932―1958』）。だが、賢治はユングもパウリもおそらく知らなかった。

前にも述べたように、彼のいう「宇宙意識」は唯一の意識、すなわち仏教でいう「唯識」であり、その微小な表れが私たちの個体意識である。彼の「心象」が全宇宙のそれを反映し、他の人々、他たのだ。

の生物、他の物質の意識と共通であるというのは、少なくとも彼においては十分あり得ることだっ

賢治と法華経の関係について振り返ろう。この出会いは偶然といえば偶然、必然といえば必然であった。偶然というのは、十八歳の時たまたま実家でこの経典を見つけたからで、必然というのは、それまで彼が待ち望んでいたすべてがこの経典に見つかったからだ。

彼の両親は並外れて熱心な仏教徒であった。とはいえ、法華経信者ではなく真宗の門徒であった。真宗は阿弥陀仏の慈悲に全面的にすがる宗教である。どんなに罪を犯しても、阿弥陀を信じさえすれば救われる、死んで西方浄土に行けるという宗教である。賢治は法華経を知るまではこの宗教を両親と共有していた。法華経との突然の出会いは、それとはまったく異なる世界観を彼に開示したのである。

法華経の教えは行動主義的である。自分が救われるよりは周囲の人々を救うこと、さらに言うなら、人々が救われるような理想社会を作ることが求められる。そのためには、祈りと社会活動が重要となる。初めは隣人、つぎに社会、さらには国全体、最後には世界を救済しなくてはならない。

この教えを知った賢治は迷わず社会奉仕活動を始めた。前にも述べた、農民芸術活動のための羅須地人協会の開設はそのひとつである。農林学校で学んだことを農民生活改善のために生かすこと。

23　同注４、三五五頁

労働に疲れた人々に精神的な喜びを、芸術活動を通じて回復させること。こうしたことは、彼にとって法華経思想の実践だったにちがいない。

法華経は先にも述べたように広大な宇宙的世界観を開示する。賢治はその世界観を詩と童話を通じて表現しようとしたと言ってよい。とはいえ、彼の書いたものは決して法華経のプロパガンダではなかったし、その忠実な写し絵でもなかった。彼自身の感じた世界がありのままに表現されたものであり、だからこそ第一級の文学作品として今日まで生き残っているのである。法華経と彼の感性とが融合したことで、特異な宗教文学になったと言えよう。

ここで、彼が法華経信徒になったことの背景にある、近代日本の仏教のありようについて述べておきたい。近代日本とは明治維新以降の日本をいうのであるが、明治維新直後に政府主導で宗教改革が行われたことを多くの人は忘れている。一〇〇〇年以上の長きにわたって寄り添っていた仏と神とを分ける「神仏分離令」が発布されたのだ（明治二年、一八七〇）。この法令は神道と仏教を分離させただけではない。神道を国家宗教とし、仏教を弱体化させる政府の意図を示したものである。これによって大打撃を受けたのは仏教界だけではない。神道も仏教との長年の提携を失い、その自然信仰的要素をも失って、国家主義イデオロギーと化したのだ。かくして、日本人全体が無宗教になった（安丸良夫『神々の明治維新』参照）。

このような状況で、仏教界内部で改革の動きが生まれたのも当然である。折から西洋の仏教研究に刺激され、科学の時代に適した新たな仏教の必要性が痛感された。浄土系仏教も、法華経系仏教も、禅宗も、密教系も、自己改革の必要を共有したのである。それぞれが西洋哲学と取り組み、さらには科学と取り組み、自己改革を試みた。賢治が入会した国柱会も、そういう改革の動きから生まれた団体である。

国柱会（一九一四年発足）は法華経に依拠する新仏教団体で、目指したものは法華経による政治改革であった。それが実現しないと日本は滅びるという信念が団員に共有され、賢治もこの信念から法華経の名を唱え、その思想に沿って社会活動を展開したのである。彼が法華経と科学の融合を夢見たのも、同様の信念による。

国柱会はしばしばナショナリズム団体とみなされる。日本が法華経を国是として世界を救うべきだと主張するのだから、国家主義というより超国家主義的であった。しかし、そうした主義はマルクス主義と同じく国家の基盤を崩す恐れがある。国家権力としては、これを十分警戒しなくてはならなかったのである。

政治活動には参加しなかった賢治であるが、彼の平和な社会奉仕活動でさえ官憲には危険と見えたようだ。それもそのはず、彼の設立した羅須地人協会は農民たちに芸術の喜びを体験させ、彼らの生活を豊かなものにするのが狙いだったが、羅須地人協会の綱領ともいうべき「農民芸術概論綱要」には、以下のような文言が見つかるのである。

いまわれらにはただ労働が　生存があるばかりである

宗教は疲れて近代科学に置換され然も科学は冷く暗い
芸術はいまわれらを離れ然もわびしく堕落した
いま宗教家芸術家とは真善若くは美を独占し販るものである
われらに購ふべき力もなく　又さるものを必要とせぬ
いまやわれらは新たに正しき道を行き　われらの美をば創らねばならぬ
芸術をもてあの灰色の労働を燃せ[24]

つまり賢治は、労働者は搾取されている、彼らは解放されねばならない、と主張しているのだ。彼は暴力革命ではなく芸術による精神革命を考えていた。だから、それほど危険視される理由はなかったと見ることもできる。とはいえ、既存の芸術を「堕落」とみており、労働する者たちのための新たな美的創造を望んでいるのだから、当時日本の都市部で展開されていたマルクス主義系の文学運動に呼応する考え方が彼にもあったのである。プロレタリア文学運動は日本の国家権力が最も危険視した運動の一つであった。

さらに言えば、彼にマルクス主義的発想などまったくなかったとは言いきれない。羅須地人協会を発足させたちょうどその頃、彼は「オツベルと象」という童話を書いている。これを読むと、賢治が精神革命にとどまらず、暴力革命をも肯定していたことがわかるのである。

この童話はオツベルという資本家が白象を労働者として搾取し、その象が働かなくなると牢に入れる。すると、象の仲間たちが押し寄せてきてオツベルを殺し、白象を救出するという筋書きである。賢治がマルクス主義をどの程度理解していたかはわからないが、作品の終末部には労働者軍団が圧制をふるう者に対して暴力的に反逆するさまが、以下のように生々しく描かれている。


間もなく地面はぐらぐらとゆられ、そこらはばしゃばしゃくらくなり、象はやしきをとりまいた。グララアガア、グララアガア、その恐ろしいさわぎの中から、

「今助けるから安心しろよ。」やさしい声もきこえてくる。

「ありがとう。よく来てくれて、ほんとに僕はうれしいよ。」

象小屋からも声がする。さあ、そうすると、まわりの象は、一そうひどく、グララアガア、グララアガア、塀のまわりをぐるぐる走っているらしく、度々中から、怒ってふりまわす鼻も見える。けれども塀はセメントで、中には鉄も入っているから、なかなか象もこわせない。塀の中にはオツベルが、たった一人で叫んでいる。百姓どもは眼もくらみ、そこらをうろうろするだけだ。そのうち外の象どもは、仲間のからだを台にして、いよいよ塀を越しかかる。だんだんにゅうと顔を出す。その皺くちゃで灰いろの、大きな顔を見あげたとき、オツベルの犬は気絶した。

24　同注4、六二二頁

さあ、オツベルは射ちだした。六連発のピストルさ。ドーン、グララアガア、ドーン、グララアガア、ドーン、グララアガア、ところが弾丸は通らない。牙にあたればはねかえる。一疋なぞはこう言った。「なかなかこいつはうるさいねえ。ぱちぱち顔へあたるんだ。」

オツベルはいつかどこかで、こんな文句をきいたようだと思いながら、ケースを帯からつめかえた。そのうち、象の片脚が、塀からこっちへはみ出した。それからも一つはみ出した。五匹の象が一ぺんに、塀からどっと落ちて来た。オツベルはケースを握ったまま、もうくしゃくしゃに潰れていた。早くも門があいていて、グララアガア、グララアガア、象がどしどしなだれ込む。

「牢はどこだ。」みんなは小屋に押し寄せる。丸太なんぞは、マッチのようにへし折られ、あの白象は大へん痩せて小屋を出た。

「まあ、よかったねやせたねえ。」みんなはしずかにそばにより、鎖と銅をはずしてやった。

「ああ、ありがとう。ほんとにぼくは助かったよ。」白象はさびしくわらってそう云った。[25]

ここには暴力的な搾取に対する暴力的逆襲が描かれている。オツベルが象たちに発砲していることも見逃せない。圧制者の暴力に対する革命の暴力が、ここでは正当化されているのである。末尾で救われた白象が「さびしくわらっ」たのは、本来なら平和的な解決が望ましかったということを示していると思われる。暴力による解決は決して望ましくないというメッセージは確かに見えるのだ。しかし、そうであっても、この象たちの資本家への反逆が非難されているわけではない。暴力は暴力を呼び、自然の力を不当に利用して私欲を肥やそうとする者は自然の力によって罰せられる。そういう思想が示されていると言える。

賢治がこのような「危険」な物語を書いて官憲の咎めを受けなかったのはどうしてか？　これをどこにも発表しなかったから、というのがその答えである。しかし、そうであってもなお、官憲は彼の社会活動に目を光らせた。羅須地人協会の活動が地方の新聞で記事になった時、その記事自体は賢治の活動に好意的だったにもかかわらず、警察は彼を召喚し尋問したのである。彼が警察にどのような釈明をしたのか、詳細はわからない。自分は危険思想の持ち主ではないということを説得しようとしたにちがいない。しかしそうであっても、警察はそれに満足したわけではなく、十分賢治を脅かしたにちがいない。尋問後間もなく、彼はせっかくの農民芸術活動を中止してしまった。

25　同注4、八八－八九頁

五　銀河鉄道

すでに見たように、賢治自身は自分を詩人ではないと考えていた。それは彼が「詩」というものを巻に流布する詩句の「つぎはぎ」にすぎないと見ていたからである。自分の書いたものはそれらとは一線を画す、と思っていたのだ。

一方、童話の方はというと、彼自身童話作家と思っていた節がある。詩人とは呼ばれたくなかったにせよ、童話作家であると呼ばれて不服はなかったようだ。童話集『注文の多い料理店』（一九二四）の「序」を読めば、そのことがわかる。

イーハトヴは（…）著者の心象中にこの様な状景をもつて実在したドリームランドとしての日本岩手県である。そこでは、あらゆる事が可能である。人は一瞬にして氷雲の上に飛躍し大循環の風を従へて北に旅する事もあれば、赤い花杯の下を行く蟻と語ることもできる。罪や、かなしみでさへそこでは聖くきれいにかゞやいてゐる。深い掬の森や、風や影、肉之草や、不思議な都会、ベーリング市迄続々電柱の列、それはまことにあやしくも楽しい国土である。この童話集の一列は実に作者の心象スケッチの一部である。それは少年少女期の終り頃から、アドレッセンス中葉に対する一つの文学としての形式をとつてゐる。[26]

ここでも自分の書いたものは「心象スケッチ」だと述べているが、「童話集」という言葉もあるし、なにより「一つの文学としての形式」をとっていると明言している。彼にすれば、『春と修羅』は心理学研究のためのデータ集であったにしても、童話の方は、一定の文学的目的をもって読者に自身の世界を開示したものだったのである。

これもすでに述べたことだが、賢治の童話は法華経主義の流布のために書かれたわけではない。たとえそこに法華経的宇宙観がにじみ出ているとしても、彼の童話が教条主義に陥ったことは一度もない。彼自身言っていたように、彼の童話はありのままの「心象スケッチ」だったのであり、そうであればこそ、その文学的価値も高いのである。一定の思想をフィクションの形で表現すると、その作品の文学性が思想に還元されてしまい、貧しいものになる。賢治の童話はそういう還元を許さない。

たとえば、すでに見た『グスコーブドリの伝記』や『オツベルと象』など、思想の表明はされているが、それ以上に物語としての展開の面白さ、言葉づかいの美しさが光る。竜口佐知子が示しているように、象徴記号の使い方や物語の構成と展開はまことに見事で、均整が取れたよい作品となっているのである。[27] そうした見事さの集大成、『銀河鉄道の夜』（一九二七？）について若干述べて

26　宮沢賢治『注文の多い料理店』新刊案内、青空文庫、二〇〇五

27　竜口佐知子「『花鳥童話集』中の二つの〈死〉：『よだかの星』と『おきなぐさ』をめぐって」（『国文学　解釈と教材の研究』學燈社、二〇〇八年八月）

おきたい。

まず、この作品は『春と修羅』の序で賢治が述べている「第四次延長」(＝四次元)において物語が展開されている。賢治にすればこの次元こそが現実なのであり、それが多くの人には幻想と映る。

なるほど、アインシュタインのように宇宙を見ることは大半の人類にはできない。「時空の重力による歪み」など、言葉では理解できても実感できない。法華経にしても同様で、言葉で理解してもなにもつかめない。賢治はそういう大半の人類に、非常に具体的な童話という形式を通じて、彼の感じた超越的時空を開示したのである。

そうはいってもアインシュタインとは異なり、生と死の問題が主要テーマとなっている。アインシュタインは生と死を超えた悠久な宇宙を示そうとしたのかもしれないが、賢治にとって生と死は生涯彼を悩ませた問題で、これを扱わずにはいられなかったのだ。彼は最愛の妹を失っている(彼が二六歳の時、妹トシは二四歳で他界した)。その妹との交信を渇望していたことは、『春と修羅』に収められた幾つかの詩(たとえば「風林」「白い鳥」一九二三)が示している。一方、『銀河鉄道の夜』においては生と死の葛藤が消え去ったとは言えないにせよ、かなりの程度それが乗り越えられていることが示されている。

この物語の概略をここで述べる必要はないだろう。しかし、どのような角度から見るかで概略の内容が変わってしまう物語だということは言っておきたい。たとえば、主人公のジョヴァンニが夢の中で彼が唯一信頼する級友のカンパネラと一緒に銀河鉄道に乗って宇宙を旅し、やがて別れると目が覚めたという話として読むならば、これを賢治の臨死体験の物語と読めるだろう（実際に賢治にそうした体験があったのかどうかは不確かであるが）。しかし、もっと賢治の実人生に即して読むならば、死んだ妹との交信の不可能を出発点として、ついに彼自身が死者の世界と決別するに至るまでの物語とも読めるのである。もちろん、彼の感じ取った法華経の宇宙観を物語にしたというふうにも読める。また、そこに出てくる幾多の美しい宇宙風景の言語表現に注目し、超現実の長篇詩として読むことも可能なのである。

本稿では賢治の科学観を中心に見てきたので、作品終末部にジョヴァンニが目を覚ましたちょうどそのときカンパネラが川で溺れ死ぬという「共時性」の物語として読むことを採用する。賢治の思想に反して一般常識に寄り添うならば、ジョヴァンニの夢の中でのカンパネラとの別れと、現実におけるカンパネラの溺死とが時間的に一致することが不思議な偶然と映るからである。すなわち、夢は正夢だったというふうに映る。しかも、物語の舞台が「第四次延長」であるという大前提を考えれば、これは偶然の一致ではなく、まさに時空というものがそういう性質のものなのだという世界観の提示と理解できるのである。つまり、ユングとパウリが提唱した「共時性」（シンクロニシティ）の物語、と読める。[28]

28　Jung, K.G. and Pauli, W. : Atom and Archetype: The Pauli/Jung Letters, 1932-1958, Princeton, Princeton University Press, 2014

そこでの「夢」は実は夢ではなく、もう一つの時空である。賢治はその時空と、私たちが生活する時空とのあいだに橋を架けてみせたのである。

しかし、このように物語を物理学的に解釈しても、読んでいるうちにジョヴァンニとカンパネラはほんとうに親友だったのかという疑問が浮かぶ。二人は家庭環境が異なり、ジョヴァンニは内職をしながら病気の母の看病もしなくてはならない身であるのに、カンパネラは母親こそ亡くしているものの、裕福な家庭に育っているのだ。それでも二人が友達なのは、一緒に銀河鉄道の旅に出て「本当の幸福」を求めるという共通の目標を持っていたからだが、二人の幸福観にはズレがあり、カンパネラは天国に召されることで「幸福」になれると信じ、一方のジョヴァンニは宇宙の旅を終えても自分は「本当の幸福」を求めつづけると決心している。彼の「本当の幸福」は決して天上界で実現されるものではなく、地上に戻ってから探求しつづけなくてはならないものだったのだ。

ジョヴァンニの思想は賢治のものであり、賢治はすでに「農民芸術概論綱要」において次のようにそれを表明している。

新たな時代は世界が一の意識になり生物となる方向にある
正しく強く生きるとは銀河系を自らの中に意識してこれに応じて行くことである
われらは世界のまことの幸福を索ねよう　求道すでに道である[29]

すなわち、「世界のまことの幸福」をこの世で実現させたいと願っていたのであり、それは法華経の教えの実現だったのである。

一方のカンパネラは銀河鉄道の旅の途中、亡き母のいる付近で下車し、ジョヴァンニと別れを告げ、「幸福」を実現する。このときの車外の描写がキリスト教色で彩られているため、ジョヴァンニは仏教、カンパネラはキリスト教というふうに対比されがちであるが、カンパネラの下車した天界を「西方浄土」と読み換えれば、これは賢治の生まれ育った宗教的環境である浄土真宗ということになる。賢治は法華経と巡り合ってから浄土真宗を捨て、両親に折伏（＝改宗）を迫ったことが知られている。ジョヴァンニとカンパネラの別離は、賢治とその家族との宗教レベルでの別れととることもできるのだ。

また、生者と死者の別れという点を重視するなら、ジョヴァンニとカンパネラを賢治と妹トシの別離として受け止めることもできる。しかし、そうなると賢治が「無声慟哭」において言っていたことと相反することになる。そこでの賢治は次のように言っていた。

信仰を一つにするたつたひとりのみちづれのわたくしが
あかるくつめたい精進のみちからかなしくつかれてゐて

29　同注４、六二二頁

毒草や蛍光菌のくらい野原をただよふとき
おまへはひとりどこへ行かうとするのだ[30]

これはトシの死に面しての賢治の悲痛な思いを表白した部分だが、そこではっきりと彼女と賢治が互いに「信仰を一つにするたったひとりのみちづれ」だったと述べているのである。

とはいえ、実際にトシは国柱会の会員になっていたわけではないし、日本女子大時代に彼女に影響を与えた成瀬仁蔵はキリスト教徒であった。やはり、カンパネラの背景にトシがあったという可能性は否定できない。

以上のように見てくると、『銀河鉄道の夜』は賢治が苦しんできたトシとの別離に決着をつけた作品というふうに読むのが素直な読み方のように思えてくる。カンパネラとジョヴァンニの別離を語ることで、生者は死者といつまでも一緒にはいられないこと、生者には地上ですべきことがあること、トシは天界の人となったが自分賢治は地上にあって「まことの幸福」を実現すべく邁進すること、そうした決意が示されている作品、と読めるのである。ほかにもいくつも読み方が可能であろう。すぐれた文学作品は多くの解釈を許す。

六　法華経

本章を閉じるにあたって賢治の遺言について述べたい。遺言を見れば、彼にとって文学よりも科学よりも大事だったのは法華経であったとわかる。以下、その遺言（賢治の父が死に面して賢治が述べたことを聞き取って書き記したもの）を引く。

国訳の法華経を千部印刷して知己友人にわけて下さい。校正は北向さんにお願いして下さい。本の表紙は赤に――。『私の一生のしごとは、このお経をあなたのお手もとにおとどけすることでした。あなたが仏さまの心にふれて、一番よい、正しい道に入られますように』ということを書いて下さい。（…）どうぞ法華経全品をお願いします。（…）また、あとがきに、『私の全生涯の仕事は此経をあなたのお手許に届け、そしてその中にある仏意に觸れて、あなたが無上道に入られんことをお願ひする外ありません。昭和八年九月二十一日　臨終の日に於いて宮澤賢治[31]』と。

30　同注4、三九五－三九六頁
31　田口昭典『宮沢賢治入門　宮沢賢治と法華経について』（でくのぼう出版、二〇〇六）

これを見ればわかるように、賢治にとって法華経を世界に広めることが最大事だったのである。ちなみに、自分の書いたものについては、「心の迷い」の産物だと父に伝えたそうだ。だから、出版しなくてもいいとも言ったそうだ。[32]

ここで、賢治にとって法華経は宗教であると同時に最高次の科学であったことを思い出そう。それは宇宙意識に基づく一大心理学であり、宗教だの、倫理だの、科学だの、文学だの、芸術だのは、すべてそこに包含されるものだったのである。日本人は近視眼的で、現実主義的で、実用主義的と言われることがあるが、過去から現在に至るまで、少なくとも仏教の系譜においては、途轍もないといえるほどの理想主義者を生み出している。賢治はそういうひとつの例なのである。

だが、そうであってもなお、賢治はやはり迷える近代人であったと言っておきたい。彼には信仰に完全に身を捧げきれない理知と情念があり、だからこそ、自らを修羅になぞらえたと言えるのである。本稿の筆者は彼を信仰の人と見るよりも、科学と芸術と宗教のあいだでもがきつづけた近代人と見るほうを選ぶ。彼を法華経主義者として片づけてしまうことには反対なのである。

そう書いて、ふと思い出したことがある。大学院に進学する時の面接試験で、あなたは何を研究したいのですかとある教員に聞かれ、深い考えもなく、「宮沢賢治の思想」と答えたのである。するとその教員はこう言った。「賢治の思想なら法華経思想ではありませんか？　法華経を研究したらどうです?」私はそのとき生意気ながらこう答えたものだ。「賢治の思想は賢治の思想で、法華経主義にはまり切らないところが賢治なのです」と。そのときの答えは現在も保持している。賢治の思想は賢治の思想であり、それ以上でもそれ以下でもない。

32　同注30

あとがき

ここに収められた五篇はそれぞれ独立しており、異なった思想家あるいは科学者を扱っている。とはいえ、いずれもが「科学と詩」に関するもので、このテーマこそ私が読者に考えてもらいたいものである。

このテーマは、すでに十九世紀の末、ヨーロッパの知識界に近代科学への批判として表れていた。たとえば、哲学者アンリ・ベルクソンの博士論文『意識の直接与件に関する試論』(Essai sur les données immédiates de la conscience 1889) は、突き詰めていえば、数量化できないものを数量化しようとする実証科学の傾向に対しての警告であり、なかでも「時間」という人間の本質を数量化しようとする試みに対しての、強い反意の表明なのである。ベルクソン自身は科学そのものを否定せず、むしろこれに対し深い理解を示し、その糧を汲みとる努力を惜しまなかったが、それでも科学の限界を明らかにし、それを直観知の下位に置いた。彼にとって、詩と科学は人間という生物の生命力の顕現であり、それぞれに意味があったが、科学が詩を窮地に追いやっていくこと、さらに言えば、魂を窒息させてしまうことに対して警告を発したのである。

　数学者アンリ・ポアンカレーは『科学者と詩人』（Savants et écrivains 1910）といった比較論を展開し、得てして分離しがちな二つの世界を結びつけようと試みた。そうした跡を追って、ガストン・バシュラールのように「詩」と「科学」を結びつけて考えようとした哲学者もいる（たとえば『水と夢――物質の想像力についての試論』L'Eau et les rêves 1942）。しかし、これらの著作が世間一般の傾向を変えることは全くと言ってよいほどなかった。科学と詩は二つの相容れない世界としてありつづけ、今日に至っている。

　この問題がきわめて深刻であることを訴え、それが多くの人の共感を得たのは、物理学者にして小説家のC・P・スノーの『二つの文化と科学革命』（The Two Cultures 1959）である。発表されたのが第二次大戦後ということもあり、広島・長崎の原子爆弾投下の苦い記憶もあって、欧米の知識人に強い衝撃を与えたのである。スノーのいう「二つの文化」とは、日本でいう「文系」と「理系」のことであり、科学者と文学者がそれぞれ異なった文化を形成してしまい、互いについて無知になり、人類文化全体を考えるための健全な基盤がなくなってしまったことを訴えたのである。この主張はそのまま教育システムに関わるもので、またそのシステムを支える政治のあり方とも関わるだけに、状況改善は遅々として進まず今日に至っている。

　科学は日に日に専門化され、技術の発達にともなうその進展の激しさはもはや哲学的知性の及ばぬところとなった。私たちの教育制度は文学テキストの解読ができない科学者を育て、科学的思考のいろはをも身につけていない文系の人間を育てつづけている。このような現状に鑑みて、私は本書を世に問うことにした。

本書であつかう人物は、いずれもが科学と詩に架橋する意欲を示した人たちだ。そういう彼らの言葉を追うことで悲惨な現状を知り、その克服の道を考えたいのである。読者には彼らの言葉を十分噛みしめていただきたい。

先に本書の五篇はそれぞれ独立していると述べたが、一冊の本にこうして並べてみると、相互の関連がよりよく見えてくる。全体を貫くテーマが「科学と詩」であるのだから当然といえばそれまでだが、その連関について少し触れてみたい。

最初のシモーヌ・ヴェイユ論の眼目は、近代社会に生きる人間にとって魂の回復は「詩」を回復することにしかなく、そのためには近代社会を支配する「代数」、すなわち思考を停止させることで機械的生産を促進する装置から自由にならねばならないというものである。私たちが学校で習う「代数」が便利なものであることは確かだが、その便利さには落とし穴があり、この便利な道具を利用することで科学が急速に発展した結果、人類は自らの土台を失い、宙に舞ってしまったと彼女は見たのである。近代科学の根本的な批判を示した彼女の主張は、間違いなく本書の根幹をなす。

彼女の視点が宮沢賢治のそれと重なることについては本文中でも述べた。二人の思想を比較してみようという人があれば、面白い結果を得られると思う。だが、それ以上に重要なのは、シモーヌが科学批判の彼方に見たものである。人類史の終末を見たのか、それとも宗教の光が彼女を訪れたのか。この疑問はそのまま賢治につながる。

クロード・レヴィ=ストロースについての論は、哲学者として、あるいは人類学という枠の中で論じられてきた彼の、科学者としての側面を強調したものだ。といっても、彼の主張する科学は普通の科学ではなく、自然科学から神話・芸術・音楽・詩歌それにブリコラージュまでも含むもので、つまり人類の知的営為そのものである。これを裏返せば、そのような科学が確立されないかぎり近代科学の欠陥を克服できない、という思いが彼にあったということだ。

近代科学の元祖デカルトに諸悪の根源を見た点で、彼はシモーヌ・ヴェイユと重なる。二人が全く同じ世代のフランスのユダヤ人で、しかもユダヤ的伝統から遠ざかっていたということも、おそらく無視できない。とはいえ、二人には根本的な違いがあることも確かで、レヴィ=ストロースがあくまでも科学に信を置いて宗教を斥けたのに対し、ヴェイユは最後まで宗教を求めつづけた。しかし、その違いはあっても、彼らの出発点に近代科学文明への怒りにも似た感情があることは確かである。

三番目の寺田寅彦についての論は、舞台を日本に移しただけでなく、実際に科学と詩の両方にまたがってその調和と交流を図った人物を描き出そうと思った。彼の詩歌が俳諧連句という形をとったことと、彼の物理学とのあいだにはどういう関係があったのか、そこにとくに注意した。

彼の物理学が半世紀後の熱力学の先駆となっていることも興味深いが、それ以上に、彼が科学の師として仰いだ人物が、レヴィ＝ストロースと同じくローマの哲人ルクレティウスであったことは興味深い。レヴィ＝ストロースはルクレティウスを仏陀と並んで無常思想の人と見ていたようだが、その点も寺田とつながるのではないだろうか。

科学と詩の両方に跨がった数学者・岡潔についての論は、彼が数学者を「野のすみれ草」に比した点で「野生の思考」を野のすみれ草に比したレヴィ＝ストロースにつながる。また、代数化し抽象的になりすぎた数学の「冬」に詩情に満ちた「春」をもたらそうとした点では、代数が思考停止に導くと危惧したシモーヌ・ヴェイユにもつながるのである。シモーヌの兄のアンドレは世界的に知られた数学者であり、レヴィ＝ストロースの友人でもあったが、同時にまた岡潔の数学を最初に評価したヨーロッパ人の一人であった。文化圏の異なる人々が見えざる糸で結ばれる様が、そうしたところから見えてくる。

最後にとりあげた宮沢賢治は、賢治にとっての科学が心理学を頂点とするものであり、それが法華経思想と重なることを示そうと思った。彼の詩にしても、童話にしても、独自の宇宙観を表現したものではあるが、根底にあるのは宇宙とはひとつの意識であり、森羅万象はその意識の多様なあらわれだという大乗仏教的世界観である。

とはいえ、彼の思想を法華経といったひとつの思想源に還元することは避けたい。近代人の一人として、科学の時代を生きる知識人として、彼は様々な方向に揺れ動く人だったのである。同じことは本書で扱った他の四人にも言えることで、おそらく生きた思想というものは、必ずや両義性や二律背反を内包している。そこに首尾一貫した思想を求めれば、必ず何かを捨象し、重要なものを見失ってしまうのである。

以上、自ら書いた五篇について私なりにその相互関連を一瞥してみたが、読者にはそれぞれの角度からそれぞれの意味を見つけ出してもらいたいと思う。私の思いはただひとつ。文学と科学は分離されてはいけない、文系と理系とに知性が分裂されてはいけない、ということである。

なお、読者のためにと思って、本書で扱った五人のそれぞれの言葉の中で、私が大切に思っているものをここに写しておく。これらすべて、本文中に引用として現れている。

人々にはパンと同じように詩が必要です。言葉に包まれた詩ではなくて（そんなものは彼らにとって何の役にも立たない）、彼らの毎日の糧が詩でなくてはならないのです。

お金、機械主義、代数。この三つが私たちの文明の怪物です。

（シモーヌ・ヴェイユ）

私の心にいつまでも残っている思い出の中でも、ラングドックの高地での体験は特にはっきり覚えている。二つの異なった時代に属する地層が接するその線を追い求めていた時のことだ。(…) 全体としてはきわめて混沌とした光景で、それだけに私にはそれに与える意味を選択できる状況にあった。ここではこんな作物が植えられていたのだろうとか、こんな地変があったのだろうとか、有史以前の出来事や有史以降の出来事をいろいろ思い浮かべていたが、そこには絶対に確かなことがあって、それがほかのすべての光景を決定しているように思われた。層と層の切れ目の線が白っぽく、はっきりしないものであり、岩石のかけらもその形が見分けにくいものではあったが、それでも私が立っている乾燥しきった大地がかつては二つの異なった時代において海であったことを示していた。(…) 奇跡というものはそのような発見であろう。隠れた岩の亀裂の両側には異なった種の二つの植物がならんで生えていたが、それはそれぞれが自分の生育に適した土壌を選んだ結果であった。

(クロード・レヴィ＝ストロース)

物質と生命をただそのままに祭壇の上に並べ飾って賛美するのもいいかもしれない。それはちょうど人生の表層に浮き上がった現象をそのままに遠くからながめて甘く美しいロマンスに酔おうとするようなものである。これから先の多くの人間がそれに満足ができるものであろうか。

私は生命の物質的説明という事からほんとうの宗教もほんとうの芸術も生まれて来なければならないような気がする。ほんとうの神秘を見つけるにはあらゆる贋物を破棄しなくてはならないという気がする。

（寺田寅彦）

よく人から数学をやって何になるのかと聞かれるが、私は春の野に咲くスミレはただスミレらしく咲いているだけでいいと思っている。咲くことがどんなによいことであろうとなかろうと、それはスミレのあずかり知らないことだ。咲いているのといないのとではおのずから違うというだけのことである。私についていえば、ただ数学を学ぶ喜びを食べて生きているというだけである。そしてその喜びは「発見の喜び」にほかならない。

（岡潔）

新たな時代は世界が一の意識になり生物となる方向にある
正しく強く生きるとは銀河系を自らの中に意識してこれに応じて行くことである
われらは世界のまことの幸福を索ねよう　求道すでに道である

（宮沢賢治）

なお、本書における外国語からの引用は、とくに断りがないかぎり、引用者である私の拙訳である。すでに素晴らしい翻訳があるのに敢えてそうした理由はなにかといえば、単純に文体統一のためと答えるほかない。読者のご寛恕を願う。

＊　＊　＊

本書執筆のきっかけとなったのは、今から七、八年前、あるアメリカの文学研究者に「脳科学で文学を解いてみないか」と誘われたことにある。私にとって「寝耳に水」のことであったが、なぜか興味が湧いた。未知の世界に誘惑されたのだ。

その後、幾冊か脳科学書を読んでいるうちに、疑問が湧いてきた。脳科学者の書いたものといえども、言語で書かれる限りにおいて文学の一種ではないかと。従来の文学の枠を少し広げて、言語による思想の表現としてみた場合、狭義の文学も、脳科学やそれ以外の科学も、同じ土俵の上に立たせることができそうに思えたのである。もっとも、実際に比較するとなると容易なことではなく、いたずらに時が過ぎ、なんら明確なヴィジョンを得ることもなかった。そして、そうこうしているうちに、新型コロナウィルスの時代が来た。

世界中を苛む疫病のさなか、家から出ることが少なくなったこともあり、本を読む時間が増えた。

そうした中で出会ったのがシモーヌ・ヴェイユである。彼女の宗教思想については以前に読んだことがあったが、科学論は初めてだった。そして、その実直さと新鮮さがまばゆい光で私の胸中に突き刺さり、そこから新たなエネルギーを得たのである。以来、「科学と詩」というテーマが私の中に入り込んできた。それを今度はレヴィ＝ストロースに見、寺田寅彦、岡潔、宮沢賢治というふうに論を展開することになったのである。これら五人について次々と書いて、それが仕上がったのは今からおよそ一年前。それから見直し、書き直しをして今に至った。

だが、このようなテーマの本を読んでくれる人はいるのだろうか。第一、出版してくれる人は？そう思って相談したのが、前々から親しくしていて、本書の装幀を引き受けてくれることになった福岡在住の毛利一枝さんである。その毛利さん、いくつか候補の出版社を挙げてくださったが、その中で毛利さん装幀による『虚を注ぐ　土の仕事と手の思索』（山本幸一著）というユニークな本を刊行している石風社に私の眼は行った。石風社なら福岡だから、佐賀県唐津に住む私には相談しやすい。そう思って毛利さんに編集者の福元満治さんを紹介してもらい、彼に原稿を預けることになった。

福元さんは私の妻が福岡のイタリア会館の画廊で創作人形の個展を開いたその会場に、夕暮れひょっこりやってきた。しばらく人形を見回ったあとで、出版ということの意味についていろいろ話してくれた。それから数日後、私の原稿を読んでくれ、「うん、出しましょう」と言ってくれた。だから誰より、毛利さんと福元さんに感謝の意を表したい。

本書刊行にあたっては、もうひとつ言っておくことがある。それは、本書には英語版もあるということだ。順調にいけば、同じ福岡の印刷会社・城島印刷（別名「花書院」）から、本書と同じ頃に出版される予定だ。同じ内容のものを英語でも書いた理由は、世界の誰にでも読んでもらいたいというのもあるが、それだけでなく、自分の思想を明確にするために、一度、母国語以外の言語を通過させることには意味があるのでは、と思ったからだ。本書を日本語でも英語でも読んでくれる人は、内容はほぼ同じでも若干のズレがあると感じるだろうが、そのズレも含めて私なのである。私自身、揺れ動いて生きている。

最後になるが、妻にして、つねに私の思索の指南番をしてくれるマリア＝ヘスス・デプラダ＝ヴィセンテに本書を捧げたいと思う。彼女の創造する人形の世界は、何より桐の屑を捏ねまわして最後は髪の毛に至るまでの手作りで、レヴィ＝ストロースのいう新石器時代の科学＝ブリコラージュを彷彿させる。その意味でも本書の内容に相応しいのである。今日の科学技術は人智も追いつけないほどになってしまったが、何万年も前から人類を支えてきた手仕事の領域は今も健在である。そのことを忘れないためにも、ブリコラージュに徹する妻に本書を捧げたい。

二〇二二年　六月

九州唐津にて
大嶋　仁

参考・引用文献一覧

以下は本書で引用した文献およびそれと関連する参考文献の一覧で、章ごとに分けてある。並べ方は登場する順に応じているが、日本語文献と外国語文献は分けてある。また、同一著者の文献については一括して記すことにした。

第一章

シモーヌ・ヴェイユ『著作集』(春秋社、一九六八)『選集』(みすず書房、二〇一二)
『科学について』(みすず書房、一九七六)
ロバート・コールズ『シモーヌ・ヴェイユ入門』(平凡社、一九九七)
ホルクハイマー、アドルノ『啓蒙の弁証法』(岩波文庫、二〇〇七)
アラン『著作集』(白水社、二〇一七)
アンドレ・ヴェイユ『自伝』(シュプリンガーフェアラーク東京、二〇〇四)
ベルクソン『時間と自由』(「意識の直接与件に関する試論」、岩波文庫、二〇〇一)
『創造的進化』(岩波文庫、一九七九)

参考・引用文献一覧

スピノザ『エチカ　倫理学』（岩波文庫、一九五一）
パスカル『パンセ』（岩波文庫、二〇一五）
スティーヴン・ワインバーグ『科学の発見』（文藝春秋、二〇一六）
ジャン・ピアジェ『知能の心理学』（みすず書房、一九九八）
高瀬正仁『近代数学史の成立』（東京図書、二〇一四）
ウィトゲンシュタイン『論理哲学論考』（岩波文庫、二〇〇三）『哲学探求』（岩波書店、二〇一三）
ジョゼフ・ニーダム『思想史（中国の科学と文明）』（思索社、一九九一）
ノーム・チョムスキー『デカルト派言語学』（みすず書房、一九七六）
デカルト『方法序説』（岩波文庫、一九九七）『省察』（ちくま文庫、二〇〇六）
クロード・レヴィ＝ストロース『野生の思考』（みすず書房、一九七六）
西田幾多郎『善の研究』（岩波文庫、一九七九）『哲学論集Ⅱ』（岩波文庫、一九八八）
リチャード・ファインマン『ご冗談でしょう、ファインマンさん』（岩波現代文庫、二〇〇〇）
ニールス・ボーア『論文集1　因果性と相補性』（岩波文庫、一九九七）
マンジット・クマール『量子革命 アインシュタインとボーア、偉大なる頭脳の激突』（新潮文庫、二〇一七）
佐々木力『科学論入門』（岩波新書、二〇一二）
セルゲイ・アルテハ『物理学の根拠　量子力学』http://www.antidogma.ru/japan/arteha_book_2_japan.pdf

Simone Weil : *La condition ouvrière,* Gallimard, 1951 ; *La pesanteur et la grâce,* Plon, 1988; L'enracinement, Ethos, 2021 ; *Sur la science,* Gallimard, 1966

Hannah Murray : Poetics of Labor, Simone Weil, St. Teresa and Mysticism, https://invocationsiu.wordpress.com/2016/05/01/poetics-of-labor-simone-weil-st-teresa-and-mysticism/

Robert Coles : *Simone Weil, a modern pilgrimage,* Sky Light Paths, 2001

Theodor Adorno/ Max Horkheimer: *Dialectic of Enlightenment,* Continuum, 1972

Alain : *Propos sur la religion,* Presse Universitaire de France, 1969

André Weil : *Souvenirs d'apprentissage,* Basel, Birkhäuser, 1991

Henri Bergson : *Essai sur les données immédiates de la conscience,* Presse Universitaire de France, 1991; *L'évolution créatrice,* CreateSpace Independent Publishing Platform, 2014

Baruch Spinoza : *Ethique,* Garnier Flammarion, 1965

Maurice Schumann : Henri Bergson et Simone Weil, in *Revue des Deux Mondes,* Novembre 1993, https://www.revuedesdeuxmondes.fr/article-revue/henri-bergson-et-simone-weil/

Santa Teresa de Jesús : *Las Fundaciones,* Tecnibook Ediciones, 2015

Alain Goldschlager : *Simone Weil et Spinoza,* Naaman, 1982

Galileo Galilei : *Discoveries and Opinions of Galileo,* edition Text Only, 1957

Blaise Pascal : *Les pensées, CreateSpace* Independent Publishing Platform, 2015

Steven Weinberg：*To Explain the World, the Discovery of Modern Science*, Penguin, 2016
Jean Piaget：*La psychologie de l'intelligence*, DUNOD, 2020
Karl Marx：*The Poverty of Philosophy*, Martino Fine Books, 2014
Ludwig Wittgenstein：*Tractatus Logico-Philosophicus*, Chiron Academic, 2016; *Philosophical Investigations*, Wiley-Blackwell, 2009
Joseph Needham：Precursors of Modern Science in *The UNESCO Courrier*, October 1988, https://unesdoc.unesco.org/ark:/48223/pf0000081712
Noam Chomsky：*Cartesian Linguistics*, Harper & Row, 1966
Claude Lévi-Strauss：*La pensée sauvage*, Plon, 1962
Dina Dreyfus：La Transcendance contre l'Histoire chez Simone Weil, *Mercure de France* 1053, 1951
Richard Feynman：*Surely You're Joking, Mr Feynman!*, W W Norton & Co Inc., 2018
Manjit Kumar：*Quantum*, Icon Books, 2008

第二章

クロード・レヴィ＝ストロース『悲しき熱帯』（中公クラシックス、二〇〇一）

エミール・デュルケーム『社会学と哲学』（恒星社厚生閣、一九八五）
山口昌男『未開と文明 現代人の思想セレクション3』（平凡社、二〇〇〇）
カール・ポッパー『歴史主義の貧困』（中央公論新社、一九六一）
ジャン＝ジャック・ルソー『孤独な散歩者の夢想』（新潮文庫、一九五一）
リチャード・ファインマン『ファインマン物理学〈力学〉』（岩波書店、一九八六）
花輪光『詩の記号学のために　シャルル・ボードレールの詩篇「猫たち」を巡って』（書肆風の薔薇、一九八五）
ジェラルド・エーデルマン『脳から心へ』（新曜社、一九九五）
ジョン・カディヒ『文明の試練　フロイト、マルクス、レヴィ＝ストロースとユダヤ人の近代との闘争』（法政大学出版局、一九八七）
レヴィ＝ブリュール『未開社会の思惟』（岩波文庫、一九五三）
マルセル・モース『社会学と人類学1』（弘文堂、一九七三）
モーリス・メルロー＝ポンティ『シーニュ1』（みすず書房、一九六九）
アルチュール・ランボー『ランボー全詩集』（ちくま文庫、一九九六）
ルイ・デュモン『個人主義論考―近代イデオロギーについての人類学的展望』（言叢社、一九九三）
ルクレティウス『物の本質について』（「事物の本性について」岩波文庫、一九六一）
中村元『ブッダのことば　―スッタニパーター』（岩波文庫、一九八四）

Claude Lévi-Strauss：*La pensée sauvage*, Plon, 1962; *Tristes Tropiques*, Plon, 1955; *Anthropologie structurale deux*, Plon, 1973; *Regarder écouter lire*, Plon, 1993

Paul Ricoeur：*Structure et herméneutique*, *Le conflit des interprétations*, Le Seuil, 1969

Emile Durkheim：*Sociologie et philosophie*, Presse Universitaires de France, 1974

Jean-Jacques Rousseau：*Les rêveries du promeneur solitaire*, CreateSpace Independent Publishing Platform, 2017

Karl Popper：*The Poverty of Historicism*, Routledge, 2002

Richard Feynman：*Lectures on Physics*, vol.I, Basic Books; 50th New Millennium ed. Edition, 2011

Gerald Edelman：*Second Nature*, Yale University Press, 2006

Stillman Drake：*Discoveries and Opinions of Galileo Galilei*, Anchor, 1957

Roman Jakobson/Claude Lévi-Strauss：《Les Chats》de Charles Baudelaire, in *L'Homme* tome 2, 1962

John Cuddihy：*Ordeal of Civility, Freud, Marx, Lévi-Strauss and the Jewish Struggle*, Beacon Press, 1987

Lucien Lévy-Bruhl：*Les fonctions mentales dans les sociétés inférieures*, Wentworth Press, 2019

Marcel Mauss：*Sociologie et anthropologie*, Presse Universitaire de France, 2013

Marcel Mauss/Emile Durkheim：*De quelques formes primitives de classification*, Presse Universitaire de France, 2017

Maurice Merleau-Ponty：De Mauss à Claude Lévi-Strauss in *La Nouvelle Revue Française*, volume 7, numéro 82, 1959

Arthur Rimbaud：*Oeuvres*, Pocket, 1990

Louis Dumont : *Essai sur l'individualisme*, Seuil, 1993
Lucretius : *On the Nature of Things*, Penguin Classics, 2007
Marcos Sacrini: L'Anthropologie comme contre-science. Une approche merleau-pontienne, in *Chiasmi International* 14, 2012

第三章

寺田寅彦『全集』（岩波書店、二〇〇九－二〇一一）『全集・科学篇』（岩波書店、一九八五）
『寺田寅彦全集290作品⇩1冊』（Kindle版）
小宮彰『論文集 寺田寅彦・その他』（花書院、二〇一八）
永橋禎子「物理学者・寺田寅彦の連句」（『稿本近代文学・三七』、二〇一二）
エルヴィン・シュレーディンガー『生命とはなにか』（岩波文庫、二〇〇八）
佐伯梅友校注『古今和歌集』（岩波書店、一九九六）
福沢諭吉『選集・第四巻』（岩波書店、一九八一）
ジャック・モノー『偶然と必然』（みすず書房、一九七二）
中谷宇吉郎『雪』（岩波文庫、一九九四）
アレクサンドル・コイレ『ガリレオ研究』（法政大学出版局、一九八八）

アンリ・ポアンカレ『科学と方法』（岩波文庫、一九五三）
宇田道隆「海の物理学の父　寺田寅彦先生の思い出」（『思想　寺田寅彦追悼号』岩波書店、一九三六）
C・P・スノー『二つの文化と科学革命』（みすず書房、二〇一一）
イリア・プリゴジン／イザベル・スタンジェル『混沌からの秩序』（みすず書房、一九八七）
ルクレティウス『物の本質について』（「事物の本性について」岩波文庫、一九六一）

Erwin Schrödinger : *What is Life?*, Cambridge, Cambridge University Press, 2012
Claude Lévi-Strauss : *La pensée sauvage*, Plon 1962
Jacques Monod : *Le hasard et la nécessité*, Seuils, 1970
Henri Poincaré : *Science et Méthode*, Forgotten Books, 2018
Alexandre Koyré : *Galileo Studies*, Humanities Press, 1978
C.P. Snow : *The Two Cultures and the Scientific Revolution*, Martino Fine Books, 2013
Ilya Prigogine : Time, Structure and Fluctuation, Nobel Lecture, 1977, in https://www.nobelprize.org/prizes/chemistry/1977/prigogine/lecture/
Ilya Prigogine/Isabelle Stengers : *Order out of Chaos*, New York, Bantam Books, 1984
Lucretius : *On The Nature of Things*, Independently published, 2021

第四章

高瀬正仁『岡潔　数学の詩人』（岩波新書、二〇〇八）

小林秀雄・岡潔対談『人間の建設』（新潮社、一九六七）

岡潔『岡潔集・第一巻』（学習研究社、一九六九）『春宵十話』（毎日新聞社、一九六三）『一葉舟』（読売新聞社、一九六八）

クロード・レヴィ＝ストロース『今日のトーテミズム』（みすず書房、二〇二〇）『野生の思考』（みすず書房、一九七六）

アントニオ・ダマシオ『デカルトの誤り』（ちくま学芸文庫、二〇一〇）『意識と自己』（講談社学術文庫、二〇一八）

アレクサンドル・コイレ『閉じた世界から無限宇宙へ』（みすず書房、一九七三）『ガリレオ研究』（法政大学出版局、一九八八）

道元『正法眼蔵・第二巻』（誠信書房、一九七二）

芭蕉『日本古典文学大系・芭蕉句集』（岩波書店、一九八五）『芭蕉文集』（岩波書店、一九七〇）

中村滋／室井和男『数学史　数学五〇〇〇年の歩み』（共立出版、二〇一四）

ロジャー・ペンローズ他『心は量子で語れるか』（講談社、一九九八）

アンリ・ポアンカレ『科学の価値』（岩波文庫、一九七七）

Kiyoshi Oka : *Sur les fonctions analytiques de plusieurs variables*, Iwanami, 1961

Claude Lévi-Strauss : *Le totémisme aujourd'hui*, Plon, 1962; *La pensée sauvage*, Plon, 1962

Antonio Damasio：*Descartes' Error, Emotion, Reason, and the Human Brain*, Penguin Books, 1994; *The Feeling of What Happens*, Vintage, 2000

Stillman Drake,：*Discoveries and Opinions of Galileo*, Doubleday & Co., 1957, in https://web.stanford.edu/~jsabol/certainty/readings/Galileo-Assayer.pdf

Roger Penrose：*The Large, the Small and the Human Mind*, Cambridge University Press, 1999, in Canto edition, 2000

Henri Poincaré：*La valeur de la science*, Wentworth Press, 2016

第五章

宮沢賢治『全集』（ちくま文庫、一九九五）

新田義弘『井上円了と西洋思想』（東洋大学出版、一九八八）

寮美千子「相対性理論百年「四次元幻想」源泉への時間旅行」（二〇〇五）https://ryomichico.net/sakichi/kenji-4d-timetravel.html

オリヴァーロッジ『レイモンド　死後の生存はあるか』（人間と歴史社、一九九一）

有吉貴紀「屈折率」論--「縮れた亜鉛の雲」の世界について（「福岡大学日本語日本文学・12」二〇〇二）

竜口佐知子「『グスコーブドリの伝記』の結末を読む」（「福岡大学・日本語日本文学・25」二〇一五）「「花鳥童話集」中の二つの〈死〉：『よだかの星』と『おきなぐさ』をめぐって」（「国文学　解釈と教材の研究」學燈社、二〇〇八）

ジョン・キーツ『キーツ詩集』（岩波文庫、二〇一六）
リチャード・ドーキンス『虹の解体―いかにして科学は驚異への扉を開いたか』（早川書房、二〇〇一）
ロジャー・ペンローズ『心は量子で語れるか』（講談社、一九九八）
山本徹「アインシュタインとベルクソン（I～III）」（「天理大学学報26」一九七四）
安丸良夫『神々の明治維新』（岩波新書、一九七九）
ウォルフガング・パウリ／カール・ユング『パウリ＝ユング往復書簡集1932－1958』（ビイング・ネット・プレス、二〇一八）
田口昭典『宮沢賢治入門　宮沢賢治と法華経について』（でくのぼう出版　二〇〇六）

Simone Weil：*La condition ouvrière* (Gallimard, 1951) en version numérique, Chicoutimi, Université du Québec à Chicoutimi, 2005
John Keates：*The Complete Poems*, Penguin Classics, 1977
Richard Dawkins：*Unweaving the Rainbow*, Mariner Books, 2000
Roger Penrose, Hameroff and others：*Consciousness and the Universe*, Sciene Publishers, 2017
Alessandra Campo/Simone Gozzano：*Einstein vs. Bergson: An Enduring Quarrel on Time*, De Gruyter, 2021
Karl Jung/Wolfgang Pauli：*Atom and Archetype: The Pauli/Jung Letters, 1932-1958*, Princeton University Press, 2014

参考・引用文献一覧

大嶋　仁（おおしま　ひとし）

1948年鎌倉市生まれ。1975年東京大学文学部倫理学科卒、在学中にフランス政府給費留学生としてフランスに２年滞在。1980年同大学院比較文学比較文化博士課程単位取得満期退学。静岡大学講師、バルセロナ、リマ、ブエノスアイレス、パリで教えた後、1995年福岡大学人文学部教授。2016年退職、名誉教授。佐賀県唐津市で「からつ塾」の運営にも当たる。著書は『精神分析の都』（作品社）『福沢諭吉のすゝめ』（新潮選書）『ユダヤ人の思考法』（ちくま新書）『正宗白鳥　何云つてやがるんだ』（ミネルヴァ書房）『メタファー思考は科学の母』（弦書房）など。

科学と詩の架橋

二〇二二年八月三十一日初版第一刷発行

著　者　大嶋　仁

発行者　福元満治

発行所　石風社

福岡市中央区渡辺通二—三—二十四
電　話　〇九二（七一四）四八三八
FAX　〇九二（七二五）三四四〇
https://sekifusha.com/

印刷製本　シナノパブリッシングプレス

ISBN978-4-88344-313-0　C0095

＊表示価格は本体価格。定価は本体価格プラス税です。

中村　哲
ペシャワールにて［増補版］　癩（らい）そしてアフガン難民

数百万人のアフガン難民が流入するパキスタン・ペシャワールの地で、ハンセン病患者と難民の診療に従事する日本人医師が、高度消費社会に生きる私たち日本人に向けて放った痛烈なメッセージ
【8刷】1800円

中村　哲
ダラエ・ヌールへの道　アフガン難民とともに

一人の日本人医師が、現地との軋轢（あつれき）、日本人ボランティアの挫折、自らの内面の検証等、血の吹き出す苦闘を通して、ニッポンとは何か、「国際化」とは何かを根底的に問い直す渾身のメッセージ
【6刷】2000円

中村　哲
医は国境を越えて

＊アジア太平洋賞特別賞

貧困・戦争・民族の対立・近代化——世界のあらゆる矛盾が噴き出す文明の十字路で、ハンセン病の治療と、峻険な山岳地帯の無医村診療を、十五年にわたって続ける一人の日本人医師の苦闘の記録
【9刷】2000円

中村　哲
医者　井戸を掘る　アフガン旱魃（かんばつ）との闘い

＊日本ジャーナリスト会議賞受賞

「とにかく生きておれ！　病気は後で治す」。百年に一度といわれる最悪の大旱魃に襲われたアフガニスタンで、現地住民、そして日本の青年たちとともに千の井戸をもって挑んだ医師の緊急レポート
【14刷】1800円

中村　哲
辺境で診（み）る　辺境から見る

「ペシャワール、この地名が世界認識を根底から変えるほどの意味を帯びて私たちに迫ってきたのは、中村哲の本によってである」（芹沢俊介氏）。戦乱のアフガニスタンで、世の虚構に抗して黙々と活動を続ける医師の思考と実践の軌跡
【6刷】1800円

中村　哲
医者、用水路を拓く　アフガンの大地から世界の虚構に挑む

＊農村農業工学会著作賞受賞

養老孟司氏ほか絶讃。「百の診療所より一本の用水路を」。百年に一度といわれる大旱魃と戦乱に見舞われたアフガニスタン農村の復興のため、全長二五・五キロに及ぶ灌漑用水路を建設する一日本人医師の苦闘と実践の記録
【9刷】1800円